ÀS MARGENS DO IPIRANGA

Às margens do Ipiranga

1ª edição: Setembro 2022

Autor:
Rodrigo Trespach

Preparação de texto:
Tania Lopes

Revisão:
Gabriel Silva

Projeto gráfico e capa:
Jéssica Wendy

Imagem de capa:
Vista do Ipiranga, local onde o atual imperador Dom Pedro, o então príncipe regente, declarou a independência do Brasil (São Paulo, SP), Edmund Pink, aquarela, 1823. Acervo do Masp.

DADOS INTERNACIONAIS DE CATALOGAÇÃO NA PUBLICAÇÃO (CIP)

Trespach, Rodrigo.
Às margens do Ipiranga : a viagem da Independência : a jornada de D. Pedro, do Rio de Janeiro a São Paulo, em agosto e setembro de 1822 / Rodrigo Trespach. — Porto Alegre : Citadel, 2022.
224 p.

ISBN: 978-65-5047-177-4

1. Brasil - História - Independência, 1822 2. Pedro I, Imperador do Brasil, 1798-1834 – Descrições de viagens I. Título

22-4347 CDD 981.03

Angélica Ilacqua - Bibliotecária - CRB-8/7057

Produção editorial e distribuição:

contato@citadel.com.br
www.citadeleditora.com.br

AH AVENTURAS NA HISTÓRIA

Rodrigo Trespach

ÀS MARGENS DO IPIRANGA

A viagem da Independência — a jornada de D. Pedro, do Rio de Janeiro a São Paulo, em agosto e setembro de 1822

2022

A todos os brasileiros.

Sumário

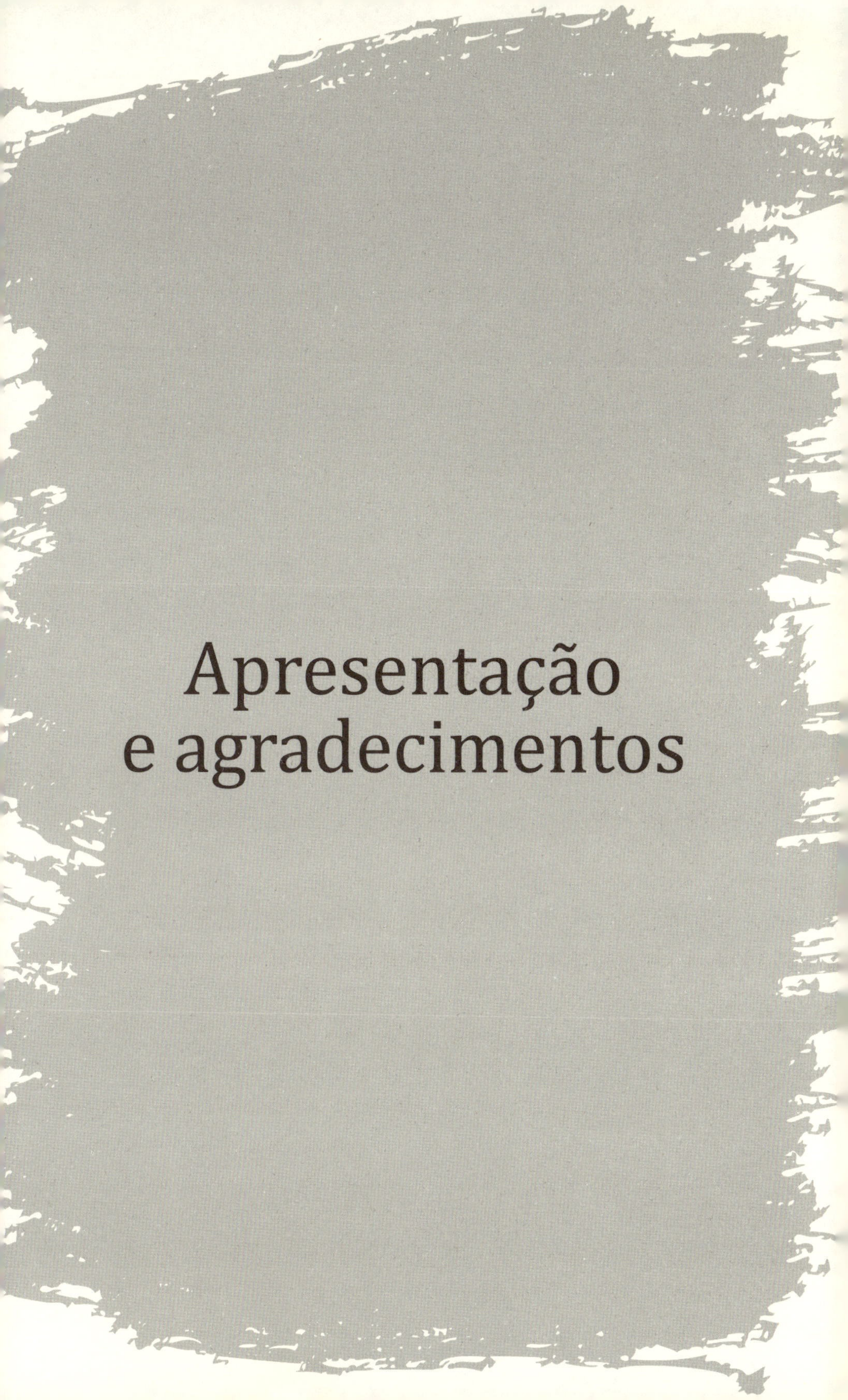

Apresentação e agradecimentos

Há exatos duzentos anos, um jovem de apenas 24 anos percorreu mais de 1.400 quilômetros em uma viagem de um mês, do centro do poder lusitano na América até São Paulo e Santos, então pequenas cidades que juntas mal chegavam a 12 mil habitantes. O destino do Brasil foi decidido nesta viagem, em cima de uma mula, o animal que d. Pedro montava naquele 7 de setembro de 1822.

De modo geral, a bibliografia mais recente sobre o tema invariavelmente se preocupou em explicar as causas e as consequências do(s) ato(s) de d. Pedro. Os livros *best-sellers* sobre a Independência ou sobre d. Pedro dedicam não mais do que alguns parágrafos à viagem que levaria ao desenlace com Portugal, às margens do riacho Ipiranga. Preferi percorrer um caminho novo, com aspectos esquecidos ou pouco explorados. Tanto quanto possível, este livro foi escrito para parecer um relato de viagem, a viagem mais importante da história brasileira. Qual foi o trajeto, por quais cidades passou? O que havia nelas de interessante? Como as viagens eram feitas naquela época e quem acompanhou o então príncipe regente português?

Ao longo de todo o percurso, o hiperativo d. Pedro valeu-se de cavalos e mulas, com os quais cruzou cidades, vilas e povoados, vales, várzeas, colinas e serras, atravessou rios e arroios; emitiu decretos, destituiu governos, nomeou gente para cargos públicos e concedeu patentes militares a sua guarda de honra, assistiu a missas, plantou árvores, apostou carreira, comeu com os escravizados e achou tempo para encontros sexuais. São essas histórias pouco conhecidas do público brasileiro as apresentadas em *Às margens do Ipiranga.*

Como base, reuni um amplo conjunto de fontes, primárias e bibliográficas. Como bibliografia, me servi do trabalho de nomes como Carlos Oberacker Jr., F. Adolfo de Varnhagen, F. Assis Cintra, Alexandre José de Melo Morais, Eduardo Barreiros, Manuel de Oliveira Lima, Otávio Tarquínio de Sousa e Tobias Monteiro, entre muitos outros que dedicaram a vida à pesquisa da História do Brasil.

Entre as fontes primárias, consultei jornais de época, relatos biográficos e de viagem, livros de memória e cartas ou documentos de homens e mulheres que viveram ou testemunharam os eventos dos anos 1808-31. Entre os observadores estrangeiros, merecem destaque Maria Graham, Auguste de Saint-Hilaire, John Mawe, John Luccock, Carl Seidler, Johann Baptist von Spix e Carl Friedrich von Martius – são deles, entre outros, a maioria das descrições do Brasil oitocentista, com observações sobre os hábitos, o povo e a arquitetura do país daquela época. Além disso, consultei instituições de pesquisa, acervos documentais e de periódicos, no Brasil (especialmente nossa Biblioteca Nacional, no Rio de Janeiro) e na Europa. Para datas, decretos e decisões, voltei ao século XIX e consultei publicações ou edições oficiais, lendo os originais e não me permitindo usar de interpretações modernas de eventos passados.

Para que isso fosse possível, sou muito grato a muitos amigos e colegas que de uma forma ou outra colaboraram com a pesquisa e emprestaram seu conhecimento e tempo, me guiando por arquivos, bibliotecas, igrejas e caminhos íngremes, como o da Calçada do Lorena, contribuindo substancialmente para a produção deste livro.

Preciso agradecer e mencionar alguns de forma especial. A Luiz Carlos Ramiro Jr., cientista político e presidente da Fundação Biblioteca Nacional. Ao presidente do Instituto Histórico e Geográfico de São Vicente, Paulo Eduardo Costa, pela acolhida em São Vicente, e a Jorge Henrique de Oliveira Lima, meu guia em Santos e durante a caminhada na Calçada do Lorena. Ao amigo Luiz Delfino Cardia, minha referência nas ruas de São Paulo (que também percorreu comigo a antiga estrada entre a capital paulista e Santos). À historiadora Lilliam Tavares, da Fundação Arquivo e Memória de Santos. Ao capitão de fragata e meu guia na antiga capital imperial, Paulo Pereira Oliveira Matos. Aos amigos Maria Elena Boeckel dos Santos e Henrique Boaventura, que me auxiliaram com traduções do alemão, do francês e do inglês. A Carlos Pimentel Mendes, jornalista em Cubatão, que me oportunizou o primeiro contato com a pesquisa de Francisco Martins dos Santos. Ao amigo e historiador Nelson Adams Filho, pesquisador de outra viagem de d. Pedro, a que o levou ao Sul, em 1826, e a meu irmão Eduardo Trespach, guasqueiro que me esclareceu dúvidas sobre o uso de tropas muares e a pelagem dos animais. E a Izabel Duva Rapoport e Renato Scolamieri pela oportunidade que me foi dada de publicar esta obra.

Devo um obrigado, como sempre, a meu pai, mãe e irmãos, por todo apoio dispensado até aqui. Por último e não menos importante agradeço à minha esposa Gisele e aos meus filhos Rodrigo Jr. e Augusto, pela paciência e amor infinito.

– Rodrigo Trespach

São Pedro do Rio Grande do Sul, 3 de junho de 2022,
ano do Bicentenário da Independência do Brasil

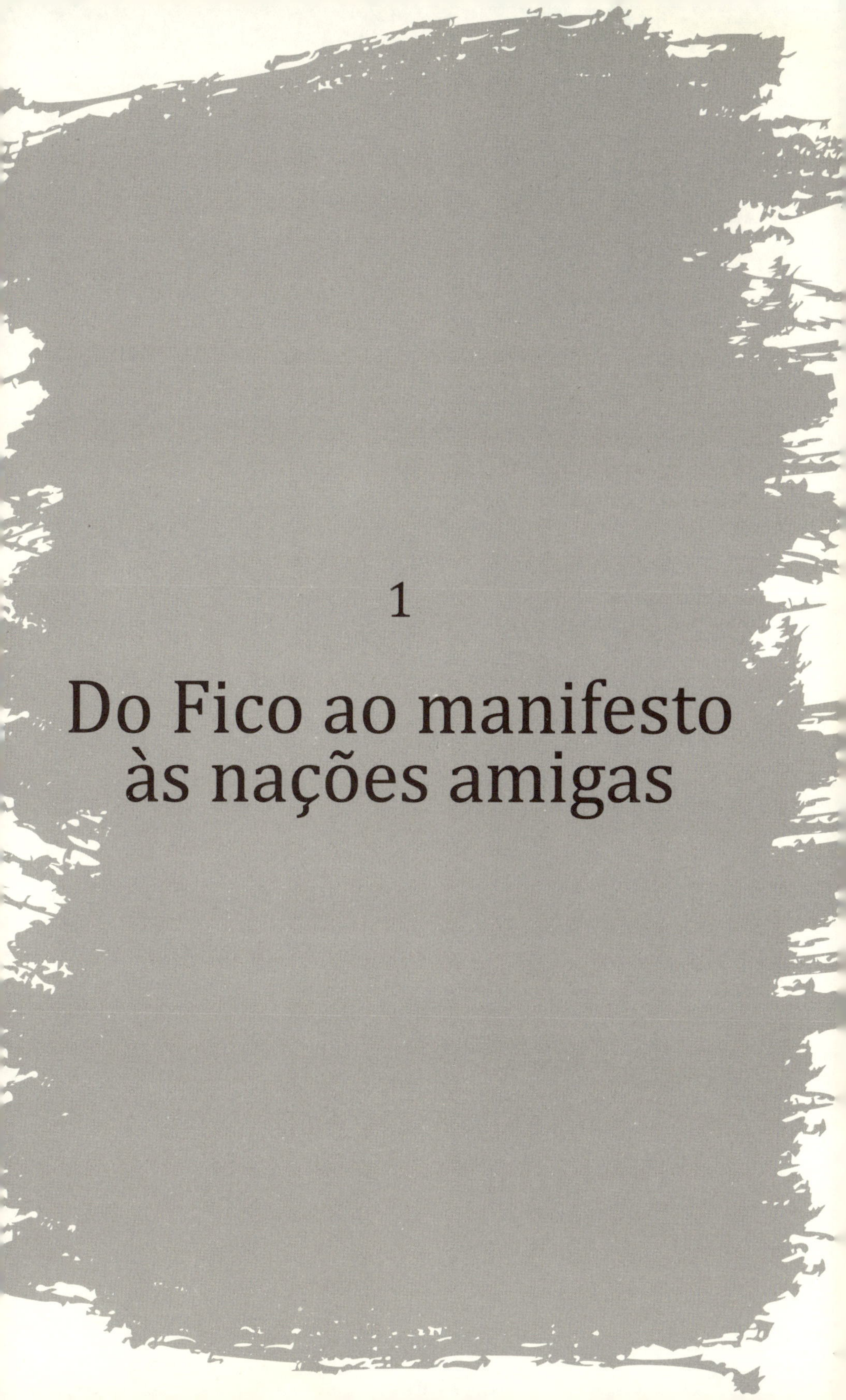

1

Do Fico ao manifesto às nações amigas

RIO DE JANEIRO, quarta-feira, 9 de janeiro de 1822. O consistório da igreja de Nossa Senhora do Rosário e São Benedito, na rua da Vala (atual rua Uruguaiana), amanheceu lotado.[1] Construção do século XVIII, o templo fora Sé da cidade de 1737 a 1808, quando o rei português se estabeleceu no Brasil. Foi ali, na igreja do Rosário, que a família real agradeceu o sucesso da viagem transatlântica e, devido a uma disputa entre cônegos e a Irmandade dos Homens Pretos, d. João VI chegara ao altar-mor rodeado de negros, considerados indignos do privilégio – motivo pelo qual a igreja deixou de ser catedral pouco tempo depois.[2] Agora, o templo católico cedia o espaço onde eram realizadas as reuniões religiosas para as sessões do Senado da Câmara – como então era chamada a Câmara Municipal. Naquela manhã de verão, os vereadores cariocas preparavam uma representação que seria entregue ao filho de d. João, o então príncipe regente d. Pedro. Por volta das nove horas, no lado de fora da igreja, a população da cidade ocupava as ruas próximas e o largo de São Francisco. Concluídos os trabalhos, às onze horas, os 65 "homens bons" da cidade deixaram o edifício formando duas alas – além dos vereadores, do escrivão, do procurador e do presidente do Senado, estavam presentes ainda representantes dos ourives, marceneiros, funileiros e sapateiros da capital, e o coronel Manoel Carneiro da Silva e Fontoura, delegado do Rio Grande do Sul às Cortes. Os membros do Senado, todos elegantemente trajados, com o uniforme de capa, tinham à frente o estandarte da Câmara e seu presidente, José Clemente Pereira. Tomando como caminho as ruas do Ouvidor e Direita (atual Primeiro de Março), o grupo chegou ao Paço Real, no largo do Carmo (atual praça XV de Novembro).

O Paço começou a ser construído em 1738, próximo ao cais, à beira da baía de Guanabara, pelo laborioso governador-geral Gomes Freire de Andrade, conde de Bobadela, para servir de sede ao governo colonial da capitania do Rio de Janeiro – a Casa dos Governadores. Em 1763, com a mudança da capital brasileira de Salvador para o Rio, o prédio passou a ser lugar de despachos dos vice-reis – o Palácio dos Vice-Reis. Mais tarde, com a chegada da corte portuguesa, ali foi instalada a Sala do Trono, transformando a antiga construção no local onde a corte realizava as cerimônias oficiais, passando a se chamar, então, Paço Real. Apesar da importância, a residência era pequena e pouco aconchegante – motivo pelo qual d. João se mudaria para a Quinta da Boa Vista. O viajante inglês John Luccock descreveu o Paço como "uma habitação miserável para um rei", e o militar alemão Carl Schlichthorst achou que "seu interior não é deslumbrante e há centenas de casas particulares melhor alfaiadas". A opinião era compartilhada por brasileiros, como o padre Perereca, que usou o termo "mediocridade" para se referir à sede do poder lusitano na colônia e mais tarde do governo brasileiro, já então como Paço Imperial. O romancista Joaquim Manuel de Macedo, escrevendo sobre o edifício na década de 1860, também não deixou de ser crítico: "Nem tem no seu aspecto exterior bastante majestade, nem em suas disposições e ornatos interiores suficiente magnificência para mostrar-se digno do chefe do Estado e digno da nação".[3]

Conforme combinado previamente, ao meio-dia daquele dia 9 de janeiro, d. Pedro recebeu a delegação do Senado da Câmara na Sala do Trono, no primeiro pavimento do Paço. Clemente Pereira fez as saudações iniciais e leu o que havia sido deliberado. Começou afirmando que a saída do regente seria "o fatal decreto, que sanciona a independência deste reino. Exige, portanto, a salvação da pátria, que Vossa Alteza Real suspenda a ida, até nova determinação do soberano congresso".[4] Seguiu o magistrado, explanando sobre o posicionamento das províncias e os perigos do ideal republicano, reforçando a necessidade de que Brasil e Portugal formassem "um só corpo legislativo, e um só poder executivo, só umas Cortes, e um só rei", fazendo parte de "uma família irmã, um só povo, uma só nação, e um só império". "Se Vossa Alteza Real nos deixa", afirmou Clemente Pereira em seu discurso, "a desunião é certa". Por fim, declarou que o povo vivia a "mais sincera e ardente vontade" de permanecer ligado a Portugal e evitar o rompimento e a anarquia inevitáveis. O presidente do Senado da Câmara leu ainda o manifesto do povo do Rio de Janeiro, um abaixo-assinado com 8 mil assinaturas com data de 29 de dezembro de 1821 – o texto convidava d. Pedro a visitar o interior do país e fazia uma previsão ameaçadora: "O navio que reconduzir Sua Alteza Real aparecerá sobre o Tejo com o pavilhão da independência do Brasil". Depois da fala de Clemente Pereira, o deputado gaúcho que se juntara aos representantes cariocas afirmou que a província sulina nutria o mesmo desejo. João Pedro Carvalho de Moraes, por sua vez, entregou a d. Pedro cartas das câmaras das vilas fluminenses de Santo Antônio de Sá e de Magé, de igual teor.

Já tendo recebido cartas de apoio da câmara paulista e da Junta Provincial de São Paulo, com datas de 24 e 31 de dezembro último, além de uma missiva do bispo de São Paulo, d. Mateus de Abreu Pereira, do dia 1º de janeiro, o príncipe regente aceitou permanecer. "Como é para o bem de todos e felicidade geral da nação, estou pronto; diga ao povo que fico", teria dito. O entusiasmo tomou conta de todos, rapidamente o estandarte do Senado da Câmara foi desenrolado na janela e Clemente Pereira anunciou à população carioca a decisão do príncipe. Como a presença do regente era exigida pela massa que se aglomerava em torno do Paço, d. Pedro passou, então, à Sala do Dossel, e dali dirigiu-se à sacada, de onde falou ao povo reunido no largo: "Agora só tenho a recomendar-vos união e tranquilidade". Foi saudado com uma explosão de vivas: "Viva a religião, viva a Constituição, viva as Cortes, viva o rei constitucional, viva o príncipe regente, viva a união de Portugal com o Brasil".[5] Quando os aplausos e saudações amainaram, o grupo de vereadores retornou à igreja do Rosário e uma ata em termos mais formais foi lavrada. Segundo registrado, d. Pedro teria proferido as seguintes palavras: "Convencido de que a presença de minha pessoa no Brasil interessa ao bem da toda a nação portuguesa, e conhecendo que a vontade de algumas províncias assim o requer, demorarei minha saída até que as Cortes e meu augusto pai e senhor deliberem a este respeito, com perfeito conhecimento das circunstâncias que tem ocorrido".[6] Inocêncio da Rocha Maciel, filho de José Joaquim da Rocha, que era o líder do Clube da Resistência e um dos principais articuladores daquele dia, leu ao povo reunido no largo de São Francisco a resposta do príncipe regente. A repercussão foi estrondosa, repassada de boca em boca ao som de salvas de canhão e o repicar dos sinos das igrejas. No dia seguinte, o jornal *Diário do Rio de Janeiro* reproduziu parte da ata, ainda utilizando a expressão "toda a nação portuguesa" – o que, afinal, era bem mais condizente com o momento político, ainda repleto de indefinições – e sem o "fico". O Senado da Câmara, porém, voltou atrás, fazendo circular uma declaração, informando que as palavras divulgadas anteriormente não eram exatamente as palavras proferidas por d. Pedro e que as "verdadeiras" eram: "Como é para o bem de todos e felicidade geral da nação, estou pronto; diga ao povo que fico". Foi com essa versão lapidada que regente notificou o pai sobre os acontecimentos, em carta assinada no mesmo dia.[7] Menos formal, mais concisa e ambígua, colocava o príncipe regente ao lado dos brasileiros e distante dos interesses de Lisboa.

O dia que ficaria conhecido como "Dia do Fico" se encerrou no Teatro São João, junto à praça da Constituição (atual Tiradentes), onde, segundo o relato da inglesa Maria Graham, d. Pedro e a esposa d. Leopoldina "apareceram em grande gala no camarote real". Recebidos com entusiasmo, o casal real ouviu pacientemente vários oradores discursarem, entre os quais o desembargador Bernardo Teixeira Álvares de Carvalho – segundo o diário de Graham, o mais aplaudido: "O mundo inteiro tem agora os olhos voltados para Vossa Alteza", declarou o magistrado. "Uni-vos com um povo que vos ama, que vos confia os bens, a vida, tudo enfim."[8] Além do teatro, a cidade inteira do Rio estava iluminada. Os fortes no porto e nas ilhas tinham suas fachadas desenhadas pela luz dos lampiões como "castelos encantados de fogo". Graham, que estava instalada a bordo do navio *Doris*, deixou anotada sua admiração: "Não há nada mais belo no gênero do que tal iluminação vista do mar".

ANTECEDENTES: A REVOLUÇÃO DO PORTO E AS CORTES (1820-1)

Haviam-se passado doze anos desde a chegada e o estabelecimento da família real portuguesa no Rio de Janeiro quando uma revolução eclodiu na cidade do Porto, em agosto de 1820. O movimento rapidamente tomou conta de Portugal e assumiu as rédeas do poder. Governando em nome de d. João VI, os revolucionários criaram uma junta governativa, que convocou as Cortes Gerais e Extraordinárias da Nação Portuguesa e, entre outras coisas, exigiu o retorno do monarca à Europa. Em virtude do sistema absolutista lusitano, as Cortes Gerais, que deveriam funcionar como uma assembleia consultiva e deliberativa, não eram convocadas desde 1697 – há mais de 120 anos. Agora, sob influência do Iluminismo e das ideias propagadas pela Revolução Francesa, o chamado "Soberano Congresso" defendia a limitação do poder do rei, que deveria governar segundo uma constituição elaborada em assembleia conforme o desejo dos representantes do povo.

As notícias da Revolução Liberal (ou Constitucional) cruzaram o Atlântico e chegaram ao Rio de Janeiro em outubro, trazidas pelo brigue *Providência*. Como era próprio de seu temperamento e administração, um surpreso e assustado d. João VI retardou o quanto pôde qualquer ação mais decisiva, sempre tomando posições ambíguas. Quatro meses depois, porém, em fevereiro de 1821, o rei foi forçado pelas circunstâncias – a pressão dos líderes políticos, um motim promovido por soldados portugueses e por revoltas que começaram a estourar no Norte e no Nordeste – a jurar uma constituição que viria a ser elaborada em Lisboa. Pela primeira vez em setecentos anos, um monarca português aceitava diminuir sua autoridade diante de um congresso convocado sem o seu consentimento. Os brasileiros, de seu lado, teriam a primeira oportunidade, em mais de três séculos, de enviar representantes para tratar de assuntos de interesse do reino em pé de igualdade com Portugal – transformado em sede do império ultramarino lusitano, muitas coisas no Brasil haviam mudado desde 1808; e a principal delas fora a elevação da ex-colônia ao status de Reino Unido a Portugal e Algarves, em dezembro de 1815.

O retorno da família real foi amplamente debatido entre conselheiros e ministros. Havia quem defendesse a partida imediata do soberano, ou do príncipe, enquanto outros apoiavam a permanência do rei no Rio. Em março, quando recebeu das Cortes um ofício solicitando seu imediato retorno à Europa, d. João preparou-se para tal decretando a convocação das eleições que elegeriam os deputados brasileiros. Apesar de um último pedido do Senado da Câmara para que permanecesse no Rio, o rei acatou o Conselho de Estado e obedeceu ao pedido do Congresso, decidindo voltar a Portugal. No mês seguinte, nomeou d. Pedro regente e partiu para Lisboa, deixando o herdeiro do trono português ciente de que, devido aos últimos acontecimentos, a independência brasileira parecia ser apenas uma questão de tempo: "Pedro, se o Brasil se separar, antes seja para ti, que me hás de respeitar, do que para algum desses aventureiros".[9] Em teoria, ao jovem cabia agora o "governo geral e inteira administração de todo o reino do Brasil", incluindo o poder para declarar guerra a qualquer inimigo que ameaçasse o território português na América. Na prática, porém, seu poder era limitado, e em junho d. Pedro precisou jurar as bases da Constituição portuguesa que estava em gestação.

Nesse meio-tempo, eleições foram realizadas em todo o Brasil, definindo os 72 representantes do reino, muitos dos quais não eram brasileiros natos. Os deputados começaram a chegar em Lisboa em agosto de 1821, sendo a delegação de Pernambuco a primeira a desembarcar.[10] Até o fim daquele ano, porém, apenas 26 comissários brasileiros haviam chegado a Portugal – outros vinte tomariam assento até outubro de 1822, sendo que o restante jamais chegou a embarcar. Entre os principais nomes do grupo estavam homens como o médico Cipriano Barata, os padres Diogo Antônio Feijó e José Martiniano de Alencar, o advogado Joaquim Gonçalves Ledo e o magistrado Antônio Carlos Ribeiro de Andrada Machado e Silva. Não havia consenso na delegação brasileira. Alguns deputados eram republicanos radicais, haviam participado da Inconfidência Mineira (1789) e da Revolução Pernambucana (1817), e permanecido no cárcere devido a seus posicionamentos. Outros, ligados ao ideal monárquico, desejavam a manutenção do status alcançado em 1815.

De modo geral, não havia uma clara opção pela ruptura com Lisboa. Pelo contrário, em um primeiro momento os esforços brasileiros eram pela manutenção da união entre duas entidades irmãs. É o que pode ser extraído das instruções dadas aos deputados representantes de São Paulo, preparadas por José Bonifácio de Andrada e Silva: era necessário garantir a elaboração de uma Constituição que permitisse equilíbrio entre Brasil e Portugal. Entre os portugueses, embora fossem bem poucos, houve mesmo quem propusesse que a sede da monarquia lusitana permanecesse na América, com um regente na Europa. Quando as delegações começaram a chegar a Lisboa, no entanto, as Cortes já haviam deliberado sobre vários projetos e muitas decisões foram tomadas sem consulta aos representantes das províncias brasileiras. Quase todas feriam os interesses nacionais. Com o intuito de "recolonizar" o Brasil, o território luso na América seria dividido em províncias ultramarinas autônomas. Não haveria mais um governo central no Rio de Janeiro e cada uma das unidades administrativas responderia diretamente a Lisboa. Em outubro de 1821, as Cortes anularam tribunais de justiça, ordenaram o fechamento das repartições governamentais no Rio e exigiram o retorno imediato de d. Pedro a Portugal. Quando a notícia chegou ao Brasil, a bordo do brigue *Infante d. Sebastião*, no começo de dezembro, a opção pela separação ganhou ares de revolução.

Como a ideia de uma ruptura completa parecia fora de questão – pelo menos para maioria dos militares, burocratas e comerciantes no Rio de Janeiro –, a presença do príncipe regente no Brasil mantinha viva a esperança brasileira de manter os dois reinos unidos. Assim, foi em torno da figura de d. Pedro que as elites locais concentraram forças. E o movimento melhor articulado estava centrado na maçonaria, sociedade secreta que estava no Brasil, de forma regular, pelo menos desde o começo do século XIX. As atividades maçônicas foram proibidas após a Revolução Pernambucana, mas em junho de 1821 a loja Comércio e Artes foi reinstalada – e nos meses seguintes os quase cem maçons que viviam no Rio estavam reunidos nas lojas Comércio e Artes, União e Tranquilidade e Esperança de Niterói. Quase sem exceção, os homens com influência no processo que levaria à ruptura com Portugal estavam todos ligados à maçonaria. Entre eles estava José Joaquim da Rocha, em cuja casa, na rua da Ajuda, reunia-se o Clube da Resistência (ou Clube da rua da Ajuda; e mais tarde Clube da Independência). Nascido em Minas Gerais, Rocha mudara-se para a corte e tornara-se um respeitado rábula. Homem de talento e intensa atividade, tão logo soube das decisões das Cortes, despachou emissários para as províncias de Minas Gerais e São Paulo, com o objetivo de obter dos governos provisórios representações cuja finalidade era convencer o jovem regente a permanecer no país. Enquanto isso, de sua cela no convento de Santo Antônio, o frei Francisco Sampaio, outro maçom da loja Comércio e Artes, redigia um manifesto. Com o texto em mãos, em dezembro de 1821 Antônio Vasconcellos de Drummond e Inocêncio da Rocha Maciel coletaram 8 mil assinaturas que foram entregues a d. Pedro – um número realmente extraordinário, considerando que a população carioca não passava de 80 mil habitantes, dos quais pouco mais de 36 mil eram escravizados. Com o propósito claro de barrar a maré recolonizadora da metrópole, o abaixo-assinado pedia a permanência do príncipe regente no Brasil.[11] No mês seguinte, apoiado por representações e pelo clamor popular, d. Pedro decidiu-se pela permanência. O destino do Brasil estava selado.

DO FICO AO MANIFESTO ÀS NAÇÕES AMIGAS (JANEIRO – AGOSTO DE 1822)

Notificando Lisboa sobre os acontecimentos de janeiro de 1822 apenas em 16 de fevereiro, o Senado da Câmara do Rio de Janeiro explicava a permanência de d. Pedro, declarando que o Brasil "queria ser tratado como irmão, não filho; soberano com Portugal, e nunca como súdito; independente como ele e nada menos". Na mesma data, por meio de José Bonifácio, o regente decretava a convocação de um Conselho de Estado, com procuradores provinciais e ministros, que tinha como finalidade aconselhar, examinar e propor projetos e cujo nome oficial era Conselho de Procuradores Gerais das Províncias do Brasil.[12]

Nesse meio-tempo, o general Avilez, comandante de Armas da Corte e da Divisão Auxiliadora, tropa lusa que viera ao Brasil para esmagar a Revolução Pernambucana, agora transformada no braço militar das Cortes no Rio, pressionou d. Pedro a fim de que o regente obedecesse às determinações vindas de Portugal e retornasse à Europa. A força portuguesa, porém, contava com apenas dois mil homens e, após o Dia do Fico, se viu acuada diante de aproximadamente seis mil soldados brasileiros. O militar retirou-se, então, para a Praia Grande. Ali, em 9 de fevereiro, a bordo da fragata *União*, recebeu d. Pedro. O príncipe afirmou ao general que se as tropas portuguesas não partissem logo, ele mesmo começaria "a fazer fogo". Segundo o próprio d. Pedro, "mansos como cordeiros", os soldados da divisão de Avilez começaram a deixar o Brasil nos dias seguintes.[13]

As desavenças entre as Cortes e d. Pedro deixavam o reino em situação calamitosa. Sem uma administração legítima, a necessidade de uma Assembleia Constituinte instalada no Brasil à revelia de Lisboa passou a ser discutida. Mas, outra vez, não havia unidade entre os brasileiros quanto ao caminho a seguir – e novamente a maçonaria estava no centro do movimento que disputava as atenções do príncipe e esperava assumir as rédeas da situação. Em torno de José Bonifácio, nomeado por d. Pedro ministro do Reino e dos Negócios Estrangeiros, reuniam-se os conservadores, que advogavam por um desligamento gradual e seguro, centrado no Rio de Janeiro e alicerçado sobre uma monarquia constitucional. O grupo rival era liderado por Joaquim Gonçalves Ledo, comerciante, contador do Arsenal do Exército, articulista do jornal *Revérbero Constitucional Fluminense* e membro da loja maçônica Comércio e Artes. Mais radical, pretendia, a seu tempo, a instauração de uma república. Enquanto o grupo de José Bonifácio era contrário à convocação da Constituinte, o de Gonçalves Ledo era favorável. O ministro e principal conselheiro do regente acreditava que, antes de tudo, devia-se garantir a unidade do novo país em torno de d. Pedro e da corte carioca. A Constituinte poderia esperar. O jornalista, por sua vez, tinha pressa e estava seguro da ruptura definitiva.

Desdenhado pelas Cortes em Portugal, que o achavam inapto, sem os estudos e a bagagem política necessários para governar, d. Pedro ganhava importância no Brasil aproximando-se das elites locais. Despontava, assim, como pedra angular do movimento que se articulava e trabalhava por ruptura definitiva da pátria-mãe a partir do Rio. As províncias no Norte e no Nordeste, porém, ou estavam próximas das Cortes ou do ideal republicano. Assim, d. Pedro precisava de aliados e a garantia de que teria apoio antes de tomar qualquer posição mais ousada. Inicialmente, Minas Gerais manifestara apoio ao príncipe por meio de uma Junta Governativa, mas os últimos acontecimentos não deixavam claro o que os mineiros realmente pretendiam. As notícias que chegavam ao Rio davam conta de rebelião – organizada por dois portugueses, o comandante da guarnição da capital mineira e o juiz local – que pretendia autonomia em relação a Portugal e também do restante do Brasil.

Em março, d. Pedro decidiu empreender uma viagem à província. Dessa forma, cumpria também a solicitação feita no abaixo-assinado do Dia do Fico, para que conhecesse "o interior deste vastíssimo continente". Assistido apenas por dez pessoas – entre eles o padre Belchior Pinheiro, o vice-presidente da Junta Governativa mineira, um responsável pelas vestimentas, um criado e três soldados –, d. Pedro iniciou a subida da serra, passando pela fazenda do Córrego Seco, onde mais tarde se fundaria a cidade de Petrópolis, chegando a Barbacena no primeiro dia de abril. Logo seguiu viagem, passando por São João del-Rei, São José do Rio das Mortes (atual Tiradentes) e Queluz (Conselheiro Lafaiete). No dia 9, já no fim da tarde, chegou à capital Vila Rica (hoje Ouro Preto). Saudado pelo repicar dos sinos e aclamado pelo povo, o regente dirigiu-se aos "briosos mineiros": "Uni-vos comigo e marchareis constitucionais", declarou, "confio tudo em vós; confiem em mim".[14] A recepção foi um sucesso, e d. Pedro, o primeiro membro da família real a pisar o solo de uma das mais importantes províncias do império ultramarino português, submeteu políticos e militares a sua autoridade. Tendo garantido a lealdade de Minas Gerais, o regente deixou a capital mineira. Cavalgando loucamente, chegou ao Rio depois de quatro dias de viagem, passando por estradas perigosas, enfrentando o mau tempo e jantando toicinho com farinha de mandioca. Ao retornar à capital, a vitória diplomática foi festejada durante três dias. Aclamado no teatro, d. Pedro também comandou a formação das tropas cariocas, paulistas e mineiras reunidas no campo de São Cristóvão.

O entusiasmo pela independência tomou conta de todos. Em 30 de abril, por meio do *Revérbero Constitucional Fluminense*, Gonçalves Ledo e frei Januário escrevem abertamente sobre separação, apontando a d. Pedro o caminho a seguir: "Não desprezes a glória de ser o fundador de um novo império", declaram, "o Brasil de joelhos te mostra o peito, e nele gravado em letras de diamante [está] o teu nome".[15] O regente, porém, preferiu seguir o conselho do pai – "guia-te pelas circunstâncias e pela cautela".

Poucos dias depois, em 4 maio, por meio do ministério de José Bonifácio, d. Pedro determinou que nenhuma ordem vinda de Lisboa fosse executada no Brasil sem consulta ao Conselho de Estado e o "cumpra-se" assinado por ele. A antiga colônia começava a se desligar da administração da metrópole. E para forjar a união entre d. Pedro e os brasileiros, o brigadeiro Domingos Alves Branco Muniz, membro da loja Comércio e Artes, propôs aos irmãos maçons que o príncipe recebesse o título de "Defensor Perpétuo do Brasil", como símbolo da vontade "do Brasil inteiro". A petição foi aceita e preparada pelo Senado da Câmara. No dia 13, depois do beija-mão no Paço, d. Pedro recebeu uma comissão da municipalidade que fez um discurso enérgico e pediu-lhe para aceitar a honraria. O príncipe afirmou que o Brasil não precisava de proteção, protegia a si mesmo, mas jurou defender a terra que tanto o honrou. Dias depois, em carta ao pai, escreveu sobre o título, afirmou que tratava os brasileiros não somente como filhos, "como Vossa Majestade me recomendou", mas também como "filhos queridos" e "amigos íntimos". Na mesma missiva, informava a d. João que o Brasil precisava de Cortes próprias: "É um adolescente que diariamente adquire forças". Mantinha cautela, mas deixava claro ao rei português e às Cortes que "sem igualdade de direito, em tudo e por tudo não há união".[16]

Enquanto isso, temendo que o grupo de Gonçalves Ledo, com forte inclinação republicana, atrapalhasse o projeto de uma monarquia constitucional, José Bonifácio idealiza e cria a própria sociedade secreta. O Apostolado da Nobre Ordem dos Cavaleiros de Santa Cruz surgiu quase ao mesmo tempo que a eleição do ministro para grão-mestre do Grande Oriente do Brasil, que reunia as três lojas maçônicas no Rio de Janeiro. O próprio d. Pedro participou da reunião inaugural do Apostolado, em 2 de junho, sendo elevado à dignidade de "arconte-rei" – tendo assinado com as iniciais "D.P.A.", de Dom Pedro de Alcântara, e o pseudônimo "Rômulo". Tal como o Grande Oriente, o Apostolado dividia-se em três "lojas" – Independência ou Morte, União e Tranquilidade e Firmeza e Lealdade – e jurava "defender por todos os meios" a integridade, a independência do Brasil como reino e uma "Constituição legítima".[17]

Por meio de Gonçalves Ledo, no entanto, a maçonaria intensificava a campanha pela convocação de uma assembleia constituinte, e uma petição com seis mil assinaturas foi entregue a d. Pedro por meio do Senado da Câmara. Em 3 de junho, em decreto redigido por José Bonifácio – ainda hesitante quanto aos perigos de afrontar Lisboa –, a Constituinte brasileira foi convocada. Os grupos rivais uniram-se por uma "independência moderada pela união nacional", e os jornais brasileiros passaram a exaltar a data como o dia em que o Brasil se libertou das "cadeias da escravidão". Em carta a d. João, d. Pedro afirmou ao pai que "Portugal é hoje em dia um estado de quarta ordem e necessitado, por consequência dependente; o Brasil é de primeira e independente". Mais adiante, o príncipe regente declarou que "a separação do Brasil é inevitável".[18]

Em 1º de agosto, por meio da pena de Gonçalves Ledo e com a assinatura do ministro da Guerra Luiz Pereira da Nóbrega de Souza Coutinho, d. Pedro lança um manifesto aos "povos do Brasil", decretando a condução de uma "guerra" contra as Cortes de Lisboa, reivindicando a legitimidade da convocação de uma Constituinte brasileira e dando a separação de Portugal como um fato consumado – tendo "já proclamado a sua independência política, a ponto de estar legalmente convocada [...] uma assembleia geral constituinte e legislativa".[19] Cinco dias mais tarde, o príncipe ordenou a publicação de um manifesto "aos homens sábios e imparciais de todo o mundo" e "aos governos e às nações amigas". Mais diplomático e direcionado aos estrangeiros, o documento redigido por um cauteloso José Bonifácio seguia o mesmo caminho, apontava para a separação, embora deixasse aberta a possibilidade de reconciliação, e pedia que, daquele momento em diante, autoridades estrangeiras tratassem diretamente com o Rio de Janeiro e não mais com Lisboa.

Nesse ínterim, disputado por facções rivais, d. Pedro foi iniciado na maçonaria com o nome simbólico de "Guatimozin" e, por influência de Gonçalves Ledo, elevado ao grau de mestre da ordem apenas três dias após sua iniciação. Dois meses mais tarde, o príncipe seria eleito grão-mestre do Grande Oriente, mas a essa altura a maçonaria e o grupo liberal estavam com os dias contados. Os passos seguintes seriam controlados pelo grupo conservador liderado por José Bonifácio. Ainda em agosto, já considerando o Brasil como uma nação independente, o ministro do Reino e dos Negócios Estrangeiros enviou representantes diplomáticos para Europa e Estados Unidos – Felisberto Caldeira Brant foi nomeado para tratar dos assuntos brasileiros em Londres, Gameiro Pessoa em Paris e Luís Moutinho em Washington. Em segredo, José Bonifácio despachou ainda o major bávaro Georg Anton von Schaeffer para as cortes alemãs, com o objetivo de encontrar soldados mercenários para compor as forças militares brasileiras. O envio de tropas portuguesas para o Brasil e a falta de adesão de algumas províncias, como a Bahia e o Maranhão, ameaçavam a independência e preocupavam o Rio. Em São Paulo, disputas locais punham em xeque o prestígio político dos Andrada, a família do mais influente ministro e conselheiro de d. Pedro. Tendo controlado a corte e garantido o apoio de Minas, era preciso agora assegurar a paz entre os paulistas. Assim, em 14 de agosto, d. Pedro partiu em viagem para São Paulo.

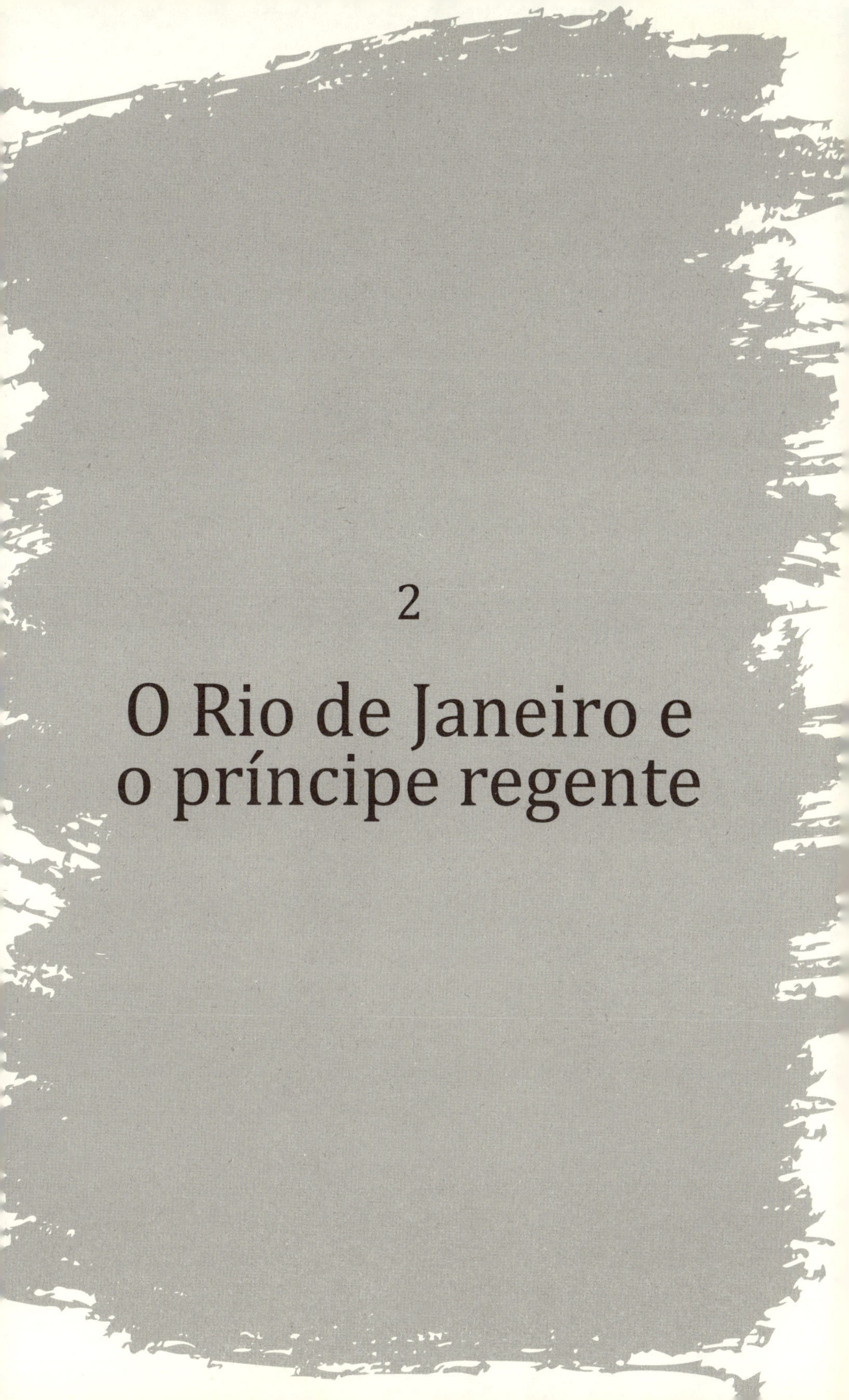

2

O Rio de Janeiro e o príncipe regente

RIO DE JANEIRO, quarta-feira, 14 de agosto de 1822. Logo cedo, pela manhã, d. Pedro deixou o palácio de São Cristóvão com destino a São Paulo. Estava acompanhado de um pequeno séquito: o fiel secretário e amigo Francisco Gomes da Silva, o Chalaça; o estribeiro-mor e veador* da princesa real Luís de Saldanha da Gama, nomeado ministro e secretário de Estado e responsável pelo despacho e expedição de ordens ao longo da viagem; o alferes Francisco de Castro Canto e Melo e dois criados do Paço, João Carlota e João Carvalho. D. Leopoldina permaneceria na Quinta da Boa Vista, como regente, com autorização para despachar com secretários e ministros e presidir o Conselho de Estado, conforme decreto publicado pelo marido no dia anterior.

De São Cristóvão, o príncipe regente seguiu por um dos três caminhos que levavam à Real Estrada de Santa Cruz, alcançando o porto do Benfica (hoje largo do Benfica), depois Praia Pequena e Venda Grande, a pouco mais de treze quilômetros do núcleo urbano do Rio de Janeiro. Situada à beira-mar, junto à baía de Guanabara, a região recebia carregamentos de vários gêneros por mar, possibilitando aos transeuntes adquirir tudo o que fosse necessário para uma viagem a Minas Gerais ou a São Paulo. Neste entroncamento, em Venda Grande, vindos de Minas, juntaram-se à comitiva real o tenente-coronel Joaquim Aranha Barreto de Camargo e o padre Belchior

---

* Empregado superior que, no paço real ou fora dele, servia à rainha; camarista.

Pinheiro – que viria a ser um dos cronistas do Sete de Setembro. Daí em diante, os oito homens iriam percorrer um caminho de cerca de vinte quilômetros, passando por Cascadura, Campinho e o Engenho dos Afonsos, onde hoje está localizada a Escola de Aviação Militar, no Campo dos Afonsos. Na época, conforme relato de Maria Graham, o engenho contava com duzentos bois e 180 escravizados, produzindo três mil arrobas de açúcar e setenta pipas de cachaça. A jornada seguiu por mais quarenta quilômetros, cruzando por Santíssimo, Campo Grande, Engenho da Paciência, Santo Antônio (Inhoaíba) e Curral Falso, última localidade antes da fazenda de Santa Cruz, onde d. Pedro iria passar a primeira noite da viagem.[20]

O RIO DE JANEIRO EM 1822

No começo dos anos 1820, a população brasileira era de aproximadamente quatro milhões de pessoas. O Rio de Janeiro, a maior cidade, tinha pouco mais de 79 mil habitantes. Segundo o censo realizado pelo ouvidor Joaquim José de Queiroz em abril de 1821, eram 36.182 escravizados e 43.139 pessoas livres, distribuídos em 10.151 "fogos" – como eram chamadas as residências ou lugar de moradia de uma família.[21] Em relação ao final do século XVIII, o número de habitantes quase dobrara. Muito devido à migração da família real portuguesa, em 1808. D. João VI trouxera consigo 536 fidalgos, ministros de Estado, conselheiros e desembargadores, todos com família e criados. Ao todo, estima-se que entre dez mil e quinze mil pessoas tenham desembarcado numa cidade colonial que nem de longe lembrava as metrópoles europeias. O viajante e comerciante inglês John Luccock calculou que havia dezesseis mil estrangeiros, duas mil pessoas ligadas à corte ou à administração, setecentos padres, quinhentos advogados, duzentas pessoas ligadas à medicina, quarenta negociantes, quatro mil caixeiros ou aprendizes de loja, dois mil "retalhistas" (assim chamados os atacadistas), 1.250 "mecânicos" (os ofícios manuais, como carpinteiros, pedreiros, cuteleiros, ferreiros etc.), trezentos pescadores e cem taberneiros.[22]

Cercado por altas montanhas, mar e brejos alagadiços, o Rio era uma cidade quente, úmida e insalubre. O lugar era conhecido dos portugueses desde janeiro de 1502, quando a expedição de Gaspar Lemos avistou a baía de Guanabara – que na língua dos indígenas locais significava "braço do mar" – e a confundiu com a foz de um grande rio. Mais tarde, em 1º de março de 1565, o capitão Estácio de Sá lançou os fundamentos da cidade de São Sebastião do Rio de Janeiro, homenagem ao rei de Portugal e ao "rio" descoberto por Lemos mais de seis décadas antes. Na verdade, a "cidade" não era mais do que um arraial protegido por uma paliçada, localizado entre o morro Cara de Cão e o Pão de Açúcar, na entrada da baía. Dois anos depois, com a expulsão dos franceses e a morte de Estácio, o governador-geral Mem de Sá mudou a cidade para o morro do Castelo, lugar mais elevado e melhor protegido. A partir dali o Rio de Janeiro se desenvolveria ao longo dos séculos seguintes, ocupando a várzea compreendida entre o Castelo e os morros de São Bento, Santo Antônio e da Conceição – o histórico morro do Castelo seria arrasado em 1922, em um projeto de reurbanização. Ao longo do século XVIII, durante a administração de Freire de Andrade, a cidade passou por transformações, como a construção da Casa dos Governadores, o Aqueduto da Carioca (os Arcos da Lapa), o chafariz da praça do Carmo e o convento de Santa Teresa. Em 1763, o marquês de Pombal elevou o Rio à categoria de capital do vice-reino do Brasil. Então, com a chegada da corte portuguesa em 1808, a cidade passou a ser capital do Império lusitano, e d. João VI precisou construir ou improvisar na América tudo o que era necessário para a instalação do aparato burocrático administrativo e para uma vida social condizente com a existente na Europa.

Nos anos seguintes, foram criadas uma escola naval, uma academia militar, uma faculdade de medicina, um observatório astronômico, um museu, um jardim botânico, uma biblioteca e um banco, além da edificação de um teatro e da instalação da imprensa, o que tornou possível a circulação de jornais e a produção de livros, algo que era proibido até então. No começo dos anos 1820, as principais vias da cidade eram a rua Direita (atual Primeiro de Março), onde estava localizado o Paço Imperial, as ruas da Candelária, do Carmo, da Quitanda, do Ouvidor, dos Ourives e dos Latoeiros (Gonçalves Dias). O núcleo urbano não ia além do Campo de Santana (atual Praça da República), do convento da Ajuda (onde hoje se situa a Cinelândia) e do Passeio Público (construído no final do século XVIII com o aterramento da poluída lagoa do Boqueirão). São Cristóvão, Botafogo, Tijuca ou Praia Vermelha ainda eram pontos afastados e isolados do centro, e Copacabana e a lagoa Rodrigo de Freitas eram quase inacessíveis.

Mas, apesar das modernidades implementadas pela corte, o Rio de Janeiro tinha muitos problemas e não agradava olhares estrangeiros. Embora fossem retas e regulares, as ruas da cidade eram muito estreitas e sujas – era comum a presença de uma vala central, que fazia correr água servida. Não havia sistema de esgoto nem coleta de lixo. Em um livro de memórias, o ex-oficial do Exército imperial, tenente Carl Schlichthorst, relatou a presença de cavalos e cães mortos nas ruas, o costume de cloacas serem despejadas nas praias e praças públicas e o de mortos serem sepultados dentro das igrejas, uma tradição portuguesa abandonada pela maioria das cidades europeias na Idade Média. Luccock ficou chocado com o modo como os defuntos eram sepultados nos lugares santos: atirados na sepultura, cobertos de cal virgem e terra socada com pilões de madeira.[23] Não se admira que a cidade fosse conhecida pelo mau cheiro, infestações de ratos e a presença constante de urubus.

A falta de higiene e muitos hábitos da população carioca eram considerados não civilizados pelos estrangeiros – ainda que a própria Europa não fosse um exemplo de alinho. O pintor francês Jean-Baptiste Debret, por exemplo, ficou escandalizado com os maus modos dos ricos à mesa: talheres eram raros e a comida geralmente era consumida com os dedos das mãos, "à moda asiática". Luccock ficou impressionado com o pouco asseio dedicado à carne exposta na porta dos açougues e com a "máxima sujeira" dos matadouros locais. A carne fresca, a propósito, era um artigo de luxo. A base da alimentação consistia em farinha de mandioca, feijão e carne-seca, aliados ao consumo do peixe, de aves, legumes, verduras e frutas tropicais, como abóboras, laranjas, bananas, abacaxis, goiabas e melancias. A população pobre consumia frequentemente farinha de trigo com caldo de laranja. Os mais abastados e nobres faziam três refeições diárias. Pela manhã, era servido o "almoço"; a principal refeição do dia, por volta das 12h, era chamada de "jantar"; e à noite comia-se a "ceia".

Nada, porém, chocava mais um visitante europeu do que a presença maciça de mestiços e escravizados negros nas ruas do centro político do Império lusitano. Além do serviço doméstico – o que incluía desde a atividade na cozinha até a de ama de leite ou de mucama, algo como uma dama de companhia –, os africanos ou seus descendentes se ocupavam de quase todo o trabalho manual, atuando como sapateiros, fazedores de cestas, vendedores (os chamados "escravos de ganho"), carregadores de mercadoria e no transporte de pessoas. O viajante Ernst Ebel relatou sobre a "estranha sensação" ao desembarcar na capital brasileira: "Ao invés de brancos, só vi negros, seminus, a fazerem um barulho infernal e a exalarem um cheiro altamente ofensivo ao olfato". O tenente Julius Mansfeldt, oficial-comandante de uma tropa mercenária que chegou ao Rio em 1826, observou que "a multiplicidade de raças dá ao visitante uma imagem mais interessante do que em qualquer outro lugar do mundo. O Rio de Janeiro é a quinta-essência dos contrastes individuais".[24] Como se isso não bastasse como desagravo, quase todos os viajantes estrangeiros são unânimes em relatar a falta de moralidade e a libertinagem da população brasileira – e não apenas no Rio. Auguste de Saint-Hilaire, que percorreu 2.500 léguas (ou 16.500 quilômetros) e várias províncias, conhecendo o Brasil como poucos, lamentou a popularidade das uniões e dos filhos ilegítimos, a venalidade da justiça, a corrupção pública e a simonia do clero. Professor de botânica no Museu de História Natural de Paris, o francês chegou ao Brasil em 1816, com o duque de Luxemburgo, que havia sido nomeado embaixador da França junto à corte portuguesa instalada no Rio. Ao voltar para a Europa em 1822, publicou livros científicos e relatos de suas viagens pelo país.

Ainda sobre as características urbanas, o pintor bávaro Moritz Rugendas achou que o Rio era "inteiramente desprovido de edifícios realmente belos".[25] O prussiano Theodor von Leithold notou que a maioria das casas era de um só pavimento, dotadas de apenas uma janela, que na maioria das vezes eram fechadas por "uma grade de trama apertada como as de nossos galinheiros ou pombais".[26] De modo geral, nas casas com dois ou mais pisos o andar térreo era ocupado por um comércio, enquanto os outros pavimentos serviam de aposentos para família. Das edificações, apenas as construções religiosas chamavam a atenção e, segundo Rugendas, tão somente pelo tamanho e posição geográfica. Havia mais de quarenta igrejas e capelas, e entre elas se destacavam a igreja de São Francisco, a de Nossa Senhora do Monte do Carmo (transformada em Capela Real e hoje conhecida como Antiga Sé) e a da Candelária, assim como as igrejas do mosteiro de São Bento e do convento de Santa Teresa. Para Luccock, a Candelária, cuja construção tivera início em 1775, era "o melhor espécime de bom gosto e magnificência de que se pode gabar o Rio". Quanto ao mosteiro, datado do começo do século XVII, o inglês afirmou ser o "que há de mais esplêndido dentre todas as coisas do mesmo gênero no Brasil".[27] Outro templo que se destacava era o de Nossa Senhora da Glória do Outeiro. Concluída em 1739, a igreja era a primeira manifestação da religiosidade católica a ser vista do mar, de grande distância.

Aliás, era a paisagem natural, vista desde o oceano Atlântico, o maior encanto do Rio de Janeiro. O pastor Langstedt, que aportou na cidade em 1782, acompanhando uma tropa mercenária alemã que se dirigia à Índia, observou que as serras cariocas eram "tão pitorescas" e os arredores da cidade "encantadores e magníficos".[28] O zoólogo Johann Baptist von Spix e o botânico Carl Friedrich Martius, que chegaram à cidade em 1817, relataram a beleza da paisagem:

> À direita e à esquerda, elevam-se, como portões da baía, escarpados rochedos, banhados pelas vagas do mar; o que domina ao sul, o Pão de Açúcar, é o conhecido marco para os navios afastados. Depois do meio-dia alcançamos, aproximando-nos cada vez mais do mágico panorama, os colossais portões de rocha e, finalmente, por eles entramos no vasto anfiteatro, onde o espelho do mar reluzia como sossegado lago, e, espalhadas em labirinto, ilhas olorosas verdejam limitadas ao fundo por uma serra coberta de matas, como jardim paradisíaco de fertilidade e magnificência. [...] Todos se deleitavam na contemplação do país, cuja doçura, cuja variedade encantadora, cujo esplendor superam o que há de mais belo na natureza, como jamais havíamos visto.[29]

O viajante Ludwig von Rango, por sua vez, compôs até um poema ao avistar o Pão de Açúcar, em 1819 – "animado das mais gratas sensações". Eduard Bösche, que chegou ao Rio em 1825 para servir como sargento no Exército imperial, resumiu sua admiração pela beleza da baía de Guanabara: "não há pincel capaz de pintar a magnificência desta natureza grandiosa". Outro alemão, o alferes Carl Seidler, que viveu uma década no Brasil, escreveu que nenhum porto no mundo "vale o porto do Rio de Janeiro". Como militar, ele também deixou registrado uma característica peculiar da baía: "altas montanhas envolvem o conjunto e os navios aqui ficam tão seguros como o filho ao colo da mãe". Por fim, Luccock se referiu à Guanabara como "a baía mais bela do mundo", e que a vista do Rio, com suas igrejas, mosteiros, fortes, colinas e matas, não podia ser descrita. "Não pode a pena imitar o lápis, nem o lápis à natureza, em cenários tais como este". D. Leopoldina, em sua primeira carta ao pai após a chegada ao Novo Mundo, escreveria algo muito semelhante: "Nem pena nem pincel podem descrever a primeira impressão que o paradisíaco Brasil causa a qualquer estrangeiro".[30]

D. PEDRO, O PRÍNCIPE REGENTE

A família real portuguesa não deixou registrada sua primeira impressão sobre o Rio de Janeiro, onde desembarcou em março de 1808. D. João, então apenas regente no lugar da mãe – rainha que deixara de governar devido a problemas mentais –, tinha assuntos mais importantes a resolver do que escrever sobre a paisagem luxuriante da cidade tropical. Seu filho e herdeiro, d. Pedro, por sua vez, tinha apenas nove anos quando pôs os pés pela primeira vez no cais do largo do Paço, na atual Praça Quinze. Filho de d. João e de uma princesa espanhola, d. Carlota Joaquina de Bourbon, o jovem nasceu em 12 de outubro de 1798, no palácio de Queluz, ao norte de Lisboa. Como mandava a tradição lusa, recebeu um nome extenso: d. Pedro de Alcântara Francisco Antônio João Carlos Xavier de Paula Miguel Rafael Joaquim José Gonzaga Pascoal Cipriano Serafim de Bragança e Bourbon. Assim como o pai, d. Pedro não era o primogênito da família. Entre os Bragança, o filho mais velho nunca assumia o trono. Isso desde que um frade franciscano levou um pontapé do então duque de Bragança, após um pedido por esmola. O nobre mal-educado se transformaria em d. João IV, o "rei libertador", que assumiu o trono português em 1640 após seis décadas de União Ibérica – um consórcio com a Espanha que os portugueses chamam de "Dominação Filipina". O frade humilhado teria lançado uma maldição: daquele momento em diante, nunca mais o primogênito da dinastia vingaria. E assim seria. Com a morte do irmão mais velho, em 1801, d. Pedro passou a ser príncipe da Beira, o herdeiro do trono português.

De modo geral a educação do jovem d. Pedro foi precária. Em questões políticas e diplomáticas, inexistente. O que, aliás, era um costume entre os Bragança. Tanto quanto possível, os príncipes eram mantidos longe dos assuntos de Estado e de qualquer contato com a vida fora dos palácios. Aprendeu latim, francês e inglês, mas nunca escreveu bem na própria língua – seu português continha erros graves de ortografia, e muitas vezes a linguagem usada era vulgar e até obscena. Teve aulas de desenho e pintura, mas tinha maior interesse e aptidão para a música. Aprendeu a tocar cravo, violino, flauta e fagote, entre outros instrumentos, tendo ainda uma excelente voz para o canto. Apreciava a escultura, a marcenaria, a equitação e os exercícios físicos – adorava nadar nas praias cariocas, percorrer as matas e escalar os morros do Rio. "É certo que sua educação foi muito descurada e lhe faltam conhecimentos científicos", escreveu Ebel.[31] Apesar dos esforços de seus preceptores, a educação de d. Pedro não foi sistematizada. O príncipe era indisciplinado e indomável, e a corte de d. João não servia de exemplo. Segundo opinião de Maria Graham, era "ignorante, grosseira e mais do que corrompida".[32] Não havia na família real, alguém que pudesse lhe inspirar leitura, gosto pelo saber ou pela cultura. Além disso, o fato de ter sido educado no Brasil talvez explique, em parte, a falta de polidez de seus modos e personalidade. O país tinha pouco ou nada a oferecer culturalmente – e o que havia fora trazido pela corte.

Contrariando a etiqueta da corte, d. Pedro demonstrou interesse maior por noitadas, farras e mulheres – "numa insaciável fome de mulher, numa exaltação lúbrica, numa lascívia quase sem pausa", escreveu o biógrafo Otávio Tarquínio de Sousa.[33] Sua primeira experiência sexual, provavelmente com uma escrava, foi aos quatorze anos. Muito cedo passou a conviver com os criados e com eles frequentar tavernas e casas noturnas. Foi nesse meio boêmio, num botequim do largo do Paço, que conheceu Chalaça, que viria a ser seu grande amigo, secretário particular e alcoviteiro. "O príncipe vive rodeado de aventureiros", observou o barão Wenzel von Mareschal, oficial da legação austríaca. Opinião compartilhada pelo prussiano conde Von Flemming. O diplomata escreveu que o filho de d. João era constantemente visto com "lacaios e criados", tendo, por isso, adotado a "gíria grosseira e obscena" das cavalariças e dos bordéis, sendo levado totalmente por seus "desejos libertinos".[34] Schlichthorst, que serviu durante um ano no Rio de Janeiro, já com o Brasil separado de Portugal, descreveu assim a fama do imperador: "As mais lindas mulheres aspiram ao seu afeto e dizem que raramente ele deixa alguma padecer sem ser atendida. A verdade é que d. Pedro não é muito delicado em sua escolha, nem pródigo em recompensar o gozo recebido. Várias francesas da rua do Ouvidor

[...] têm essa experiência". O observador alemão fazia referências às comerciantes e cortesãs da rua do Ouvidor. "Como as borboletas de seu império, o monarca esvoaça de flor em flor."[35] Não à toa, além dos oito filhos nascidos de seus dois casamentos reais, d. Pedro teve um número extremamente grande de filhos bastardos. Entre os conhecidos estão os cinco com Domitila de Castro do Canto e Melo, a marquesa de Santos, sua mais popular e influente amante; um com a bailarina Noemy Thierry, seu primeiro amor; um com a baronesa de Sorocaba, irmã de Domitila; um com madame Clémence Saisset, casada com um comerciante da rua do Ouvidor; um com Ana Steinhausen, esposa do bibliotecário de d. Leopoldina; um com Andreza dos Santos, escrava do convento de Ajuda; e um com a freira Ana Augusta Peregrino Faleiro Toste, tocadora de sino no convento da Esperança, na ilha Terceira, nos Açores. A lista é bem maior e inclui filhos com atrizes estrangeiras, a esposa de um ministro e a criada da avó d. Maria II. A julgar pelos relatos, a conta, no entanto, pode passar facilmente de quarenta – "na cidade e nas províncias, muitas crianças reclamam a honra de ter sangue real", escreveu Schlichthorst. Entre as amantes, estavam as esposas dos generais Avilez e Antônio Correa Seabra, a filha do marquês de Inhambupe, madame Adèle Bonpland, e Régine de Saturville, esposa de um joalheiro da rua do Ouvidor.

O sucesso com as mulheres devia-se mais por sua posição do que por sua formosura. A julgar pelos relatos contemporâneos, d. Pedro não era considerado bonito, embora "simpático e bem-feito de corpo". De estatura mediana – 1,73 metro, segundo o levantamento antropométrico realizado em seus restos mortais em 2012 –,[36] tinha cabelos pretos e anelados a cobrir-lhe a fronte. Os olhos eram pretos e brilhantes, o nariz aquilino, a boca regular e os dentes muito brancos. Segundo Bösche, as marcas da varíola, ocultadas por vastas suíças, "não eram repugnantes como acontece com outras pessoas". A esposa, porém, o achava "tão lindo como um Adônis", o jovem da mitologia grega que despertara o amor de Afrodite. Quando d. Leopoldina recebeu o retrato de d. Pedro em Viena, teve a impressão de que a fisionomia do noivo era "agradável", que exprimia "muita bondade e bom humor". Pouco depois, em carta à irmã, confidenciou que o retrato do príncipe a estava "deixando meio transtornada". "Ele todo atrai", escreveu ela. Sobre o comportamento, Ebel achou que ele tinha "um ar sobranceiro sem ser sombrio", e John Armitage, comerciante inglês que viveu sete anos no Brasil e escreveu um dos primeiros livros sobre os acontecimentos de 1822, afirmou que d. Pedro tinha "muitas qualificações" que o tornaram popular; "era gentil, suas maneiras afáveis e a sua índole, ainda que caprichosa, era entusiasmada". O reverendo Robert Walsh, capelão da embaixada britânica no Rio de Janeiro, por sua vez, descreveu d. Pedro após um encontro do seguinte modo: "Seu semblante era bastante grosseiro e intimidante. Seus modos, porém, mesmo sem refino, eram afáveis e corteses".[37] D. Pedro realmente tinha pouca etiqueta para alguém de sua posição. "Era destituído de maneiras, sem sentimento algum das conveniências" e dotado de um "espírito inculto e grosseiro", escreveu Bösche.[38] De modo geral, causava espanto aos diplomatas e viajantes estrangeiros a falta de formalidade e até mesmo o modo vulgar com que tratava quaisquer pessoas, fosse do povo ou membro da nobreza. Certa vez, recebeu Maria Graham de chinelos sem meias e um chapéu de palha na cabeça. Quase que diariamente frequentava as reuniões ministeriais vestindo simples calças brancas e casaca verde escura, fazendo a viagem entre São Cristóvão e o Paço acompanhado apenas de um criado, quando não sozinho. Em uma oportunidade, segundo Bösche, teria escalado um muro para satisfazer as necessidades diante de um batalhão de soldados. Não raro, explodia quando contrariado, ofendendo empregados, ministros e delegados europeus.

Pouco polido e de temperamento difícil, d. Pedro era frequentemente descrito por seus contemporâneos como impulsivo, impaciente, volúvel, enérgico, soberbo e contraditório. Sempre intempestivo, "um escravo cego de suas paixões", definiu o mercenário Seidler.[39] Era capaz de gestos de generosidade e de atitudes truculentas ou despóticas ao mesmo tempo – tinha por hábito iniciar suas missivas com o possessivo "meu", não importando se o destinatário fosse um parente, amantes, amigos ou ministros. Mas, é bom que se diga, supria a falta dos estudos formais com curiosidade, inteligência e perspicácia. Tinha o dom de enfrentar perigos, afrontas e toda sorte de privações sem desanimar ou demostrar cansaço. "A natureza dotou d. Pedro de fortes paixões e grandes qualidades", definiu a inglesa Maria Graham.[40] Era hiperativo e corajoso, tinha senso de liderança e talento para comandar – o que iria demonstrar no campo político e no de batalha, no Brasil e em Portugal. Durante a infância, organizou um regimento com escravizados mirins, com o qual combatia o irmão d. Miguel, e, certa vez, atacou até mesmo um posto da guarda palaciana. Enquanto jovem, percorria os morros no Rio de Janeiro, nadava nu na praia de Botafogo e na ilha do Governador e esgotava seus cavalos em passeios que duravam um dia inteiro. Não era exigente com a comida e se vestia com demasiada simplicidade. Ativo, acordava por volta das seis horas da manhã, retirava-se para seus aposentos particulares por volta das 21h e só dormia duas ou três horas depois. Tinha por hábito aparecer sem avisar e inspecionar repartições públicas, fortalezas e as cavalariças do palácio.

Desde menino frequentou cocheiras e cavalariças, aprendendo a montar e lidar com cavalos, o que incluía ferrar os próprios animais. Gostava de domar potros xucros, cavalgava com elegância e velocidade ímpar. Muitas vezes de forma temerária, principalmente quando usava uma carruagem de quatro cavalos e com ela percorria velozmente, de chicote em mãos, as ruas cariocas e os arrabaldes da cidade. Apesar da agilidade, sofreu quase quarenta acidentes equestres enquanto esteve no Brasil, alguns bastante sérios. Devoto de Nossa Senhora da Glória, costumava sair a cavalo da Quinta da Boa Vista pela manhã, atravessar a cidade, assistir à missa no Outeiro e retornar a tempo de almoçar. Em fevereiro de 1821, durante as agitações que obrigaram d. João a jurar a Constituição, entre idas e vindas, entre o Paço e o palácio de São Cristóvão, d. Pedro cansou dois cavalos. Na viagem de retorno de Minas, em agosto, fez aproximadamente 480 quilômetros em quatro dias, deixando para trás seus acompanhantes. Segundo os cálculos de Walsh, ele percorreu 1.600 quilômetros durante os trinta dias em que permaneceu entre os mineiros.[41] Anos mais tarde, quando se organizou a vinda de soldados alemães para o Exército imperial, d. Pedro ordenaria ao oficial responsável que despachasse para o Rio cavalos de raça, do norte da Europa. "Ele os foi ver mais de cem vezes desde que chegaram há dois dias", escreveu d. Leopoldina ao agente brasileiro na Alemanha.[42]

A disposição e a habilidade do príncipe para cavalgar seriam importantes na segunda, mais longa e importante viagem realizada em 1822. A viagem a São Paulo selaria o destino do Brasil.

3

A viagem do Rio de Janeiro a São Paulo

D. PEDRO CHEGOU à Real Fazenda de Santa Cruz na tarde do dia 14 de agosto e ali passaria a noite do primeiro dia de viagem. Naquela mesma tarde, o ex-governador de São Paulo, João Carlos Augusto Oeynhausen, que se dirigia à corte, tentou conversar com o príncipe regente, mas teve a solicitação negada. D. Pedro, que já havia deposto o militar do cargo de presidente da junta de governo paulista, ordenou que ele se apresentasse a d. Leopoldina e a José Bonifácio, no Rio.[43] Oeynhausen estava ligado aos opositores da influente família Andrada, que, em maio, haviam promovido uma revolta, a chamada "Bernarda de Francisco Inácio". Pôr em ordem a província de São Paulo era o motivo da viagem de d. Pedro.

REAL FAZENDA DE SANTA CRUZ

Desde maio de 1822, Santa Cruz era propriedade do príncipe regente por ordem do próprio d. Pedro.[44] A fazenda original era formada por sesmarias concedidas, em 1567, por Martim Afonso de Souza a Cristóvão Monteiro, que havia lutado pela expulsão dos franceses. Mais tarde, parte da propriedade foi doada aos jesuítas pela viúva de Monteiro, e a outra, comprada pelos religiosos. Nas décadas seguintes, a Companhia de Jesus foi adquirindo terras subjacentes. Em meados do século XVIII, a fazenda tinha cerca de 430 quilômetros quadrados, produzia mandioca, arroz, café, milho, feijão e algodão, mas tinha na pecuária sua principal atividade, chegando a manter onze mil cabeças de gado bovino, além de grande quantidade de cavalos, ovelhas e porcos. Os campos também eram alugados para pastagem do gado que era trazido de outras regiões do Brasil e precisava ser engordado antes da venda e abate no Rio de Janeiro. Em 1759, porém, Santa Cruz foi confiscada pela coroa portuguesa após a expulsão dos jesuítas da colônia. Com a chegada da família real, a antiga fazenda, que estava quase abandonada, passou a ser utilizada como lugar de retiro e veraneio.[45]

O comerciante e mineralogista inglês John Mawe, que a pedido de d. João VI chegou a ser administrador da fazenda por breve período, registrou o "estado progressivo de decomposição" do estabelecimento, embora com enorme potencial. Segundo ele, devido às más gestões e à corrupção dos responsáveis. O rei português doou partes da fazenda a membros da corte e, em 1818, realizou uma série de melhorias na sede, transformando o antigo convento e o colégio jesuíta em Palácio Real. Um "palácio bastante humilde", observou o comerciante inglês John Luccock. O caminho entre a fazenda e São Cristóvão foi melhorado e facilitado com a adoção de coches. Quanto à produção agrícola, d. João tentou, sem sucesso, implantar a cultura do chá, promovendo a vinda de imigrantes chineses. À época de sua visita a Santa Cruz, em agosto de 1823, Maria Graham ainda viu "plantas viçosas" serem cultivadas na fazenda, embora em quantidade pequena. Ela estimou em 1.500 o número de escravizados negros, utilizados nas plantações das três feitorias da fazenda, em Bom Jardim, Periperi e Serra (ou Santarém). A viajante encantou-se ainda com as laranjeiras, roseirais e sebes, que cercavam os caminhos, além das flores de maracujá, ananases, palmeiras e plantas aquáticas do lugar, bem como com os patos selvagens, frangos d'água e marrecos que viviam na região.[46] Flora e fauna encantavam também d. Leopoldina, que passava horas percorrendo a fazenda, a cavalo ou a pé, sozinha ou acompanhada do esposo, caçando ou em excursões pelos bosques. Em 1818, em carta ao pai, o imperador austríaco, ela descreve o lugar, que se assemelha muito a sua "amada pátria": "magníficas montanhas, florestas e planícies circundam nosso pequeno, mas lindo palácio; [...] vejo plantas e árvores lindíssimas, cobertas de flores ainda desconhecidas na Europa". Em outra missiva, à irmã Maria Luísa, relata que passava os dias caçando em matas ermas e sombrias, mesmo grávida de seis meses e com uma "barriga do tamanho de um enorme barril".[47] Em 1822, Santa Cruz também foi usada como refúgio para a família real. Em meio aos distúrbios que sacudiram a capital, em janeiro, d. Pedro despachou a esposa e os dois filhos para a segurança da fazenda. A viagem, durante a madrugada, fez adoecer o pequeno d. João Carlos, de apenas dez meses, que viria a falecer dias mais tarde, no Rio. O casal culpou a tropa portuguesa pelo infortúnio.

DA FAZENDA DE SANTA CRUZ (RJ) A AREIAS (SP)

No dia 15, a comitiva pôs-se em marcha. A primeira localidade pela qual passaram foi Itaguaí, a menos de duas léguas de Santa Cruz. Em seguida, começaram a subida da serra do Mar, adentrando as serras do Itaguaí e de Itaguaçu. Não há relatos sobre o exato trajeto percorrido até Pouso Sêco, na divisa com São Paulo. Nesse trecho, Francisco de Castro Canto e Melo, o único dos companheiros de viagem de d. Pedro a deixar um pequeno roteiro traçado, publicado mais de quatro décadas depois, comenta apenas a passagem por São João Marcos do Príncipe, no vale do Ribeirão das Lajes, junto à serra das Araras, na subida para o planalto paulista. Aqui, o príncipe regente se hospedou na fazenda da Olaria, pertencente ao capitão de ordenanças Hilário Gomes Nogueira. Doente, o fazendeiro estava acamado em outra de suas fazendas, em Bananal. Mas os filhos,

Luiz e Cassiano Gomes Nogueira, não apenas deram pouso a d. Pedro como acompanhariam o príncipe como guardas de honra. Tanto a fazenda Olaria quanto São João Marcos não existem mais, foram submersos pelas águas da represa construída pela Light, no final dos anos de 1930.

Seguindo o percurso natural dos viajantes, d. Pedro passaria ainda pelas fazendas do Retiro e dos Negros, na freguesia de Nossa Senhora da Piedade do Rio Claro, antes de chegar a Pouso Sêco (ou Guarda do Coutinho), em Getulândia, distrito de Rio Claro, entrar em território paulista e seguir pela Estrada Real. Esse caminho, chamado de "caminho novo", fora criado no começo do século XVIII em substituição ao perigoso "caminho velho", que ligava, por via terrestre, a região de Lorena, em território paulista, a Paraty, no Rio, e daí, por mar, o porto fluminense à baia de Guanabara – o que tornava arriscado o escoamento do ouro que vinha de Minas Gerais, sujeito aos ataques piratas que infestavam a região de Ilha Grande. Com a distribuição de sesmarias e a abertura de estradas, o novo percurso passou a ligar Lorena (e a cidade de São Paulo) à fazenda de Santa Cruz, no Rio, sem a necessidade de usar o trecho marítimo. O caminho passou a ser realizado inteiramente por terra, no lombo das mulas. Projetada em 1725 por d. Rodrigo César de Meneses, o governador-geral de São Paulo, ou "capitão-general", como se dizia, a estrada foi alterada e melhorada na década de 1770 e estava bem consolidada no começo do século XIX, com o surgimento de fazendas, núcleos urbanos, estalagens, oficinas, ranchos e currais ao longo do trajeto. À medida que a caravana avançava, a chegada do príncipe regente no pouso seguinte era avisada e o lugar preparado. Na verdade, toda a estrada vinha sendo preparada desde o começo do ano. Em abril, Saint-Hilaire observou que muitos trechos estavam sendo reparados desde março, época em que d. Pedro deu início à viagem a Minas Gerais.

Depois de cruzar o rio Piraí, a fronteira natural entre o Rio de Janeiro e São Paulo, d. Pedro chegou à fazenda Três Barras, em Bananal, a primeira parada em território paulista. Segundo relato de dois viajantes bávaros, o zoólogo Johann Baptist von Spix e o botânico Carl Friedrich von Martius, que passaram pelo lugar cinco anos antes do príncipe, a região era escassamente povoada. De fato, o município tinha pouco mais de 2.900 habitantes e quase dois mil escravizados. Em Três Barras, a família Gomes Nogueira produzia quatrocentas arrobas de café e 810 de açúcar. D. Pedro fez questão de visitar o capitão Hilário. Segundo o relato do alferes Canto e Melo, o príncipe regente honrou o fazendeiro "com uma visita na própria cama em que se achava doente".[48]

Na manhã do dia 17, reiniciada a viagem, a comitiva alcançou a fazenda Pau d'Alho, propriedade do coronel João Ferreira, a pouco mais de três quilômetros de São José do Barreiro. Saint-Hilaire, que passara por ali alguns meses antes, observou que a área era bastante montanhosa e coberta de matas virgens. Segundo ele, o lugar contava com "a maior plantação" vista naquela "estrada e a única em que a casa do fazendeiro apresenta sobrado".[49] Inaugurada em 1819, Pau d'Alho foi a primeira fazenda da região a se dedicar exclusivamente à lavoura cafeeira. Com sessenta escravizados, produzia mais de 2.400 arrobas de café anualmente. Segundo a tradição popular, d. Pedro teria chegado primeiro e sozinho a Pau d'Alho, depois de apostar corrida com os companheiros de excursão. Sem se identificar, solicitou comida à esposa do proprietário, Maria Rosa de Jesus, que pediu ao "soldado" que almoçasse na cozinha, já que a sala estava sendo preparada para receber o príncipe regente. Ao ver d. Pedro sentado na escada na companhia de escravizadas e mucamas, o coronel quase teria sofrido um infarto. Refeito do susto, o casal serviu um pequeno banquete: lebre cozida com pirão mole de mandioca, virado de feijão e arroz com suã (pedaços de costela e do lombo de porco). Como sobremesa, pudim de claras.

Novamente na estrada, o príncipe chegou à fazenda São Domingos, do capitão-mor Domingos da Silva, distante uma légua de Areias. Situada num vale entre dois morros e composta unicamente de duas ruas paralelas, a pequena vila de São Miguel das Areias tinha pouco mais de 1.600 moradores – a região em torno somava 8.400 habitantes, 3.880 escravizados e 958 agricultores. Para Spix e Martius, as casas eram baixas, "construídas de ripas amarradas com varetas entrelaçadas e barreadas", de modo que ele imaginou que eram construídas apenas "como refúgio de viajantes". Observaram ainda que a pequena igreja fora construída de forma semelhante. A sede da fazenda, segundo o relato de Saint-Hilaire, não era diferente: "baixa, pequena, coberta de telhas, construída de pau a pique e rebocada de barro". Conforme Canto e Melo, ali d. Pedro recebeu "o mais franco e generoso acolhimento", passou a noite, recebeu provimentos e "novos e excelentes animais" para seguir viagem. A comitiva ganhou novos integrantes, o coronel João Ferreira e o filho Francisco, e seguiu até Silveiras, onde encontrou o capitão-mor de Guaratinguetá, Manuel José de Melo, que vinha ao seu encontro também acompanhado de um séquito.[50]

No dia 18, a comitiva almoçou no porto da Cachoeira (atual Cachoeira Paulista), num entroncamento da estrada, às margens do rio Paraíba do Sul. Um caminho levava à vila Embaú e à serra da Mantiqueira, em Minas Gerais. O outro seguia para São Paulo. Foi esse o caminho que tomou d. Pedro, chegando, à tarde, no "rancho do Moreira", onde, conforme relato de Canto e Melo, encontrou "ótimas cavalgaduras destinadas a servirem para a entrada de toda a comitiva em Lorena".

DE LORENA A PINDAMONHANGABA (SP)

A chegada de d. Pedro em Lorena, no final da tarde do dia 18, marcaria uma série de entradas teatralizadas e despachos importantes. A localidade surgiu no final do século XVII, da aldeia de Aipacaré, Epacaré ou Guaypacaré – do tupi "braço da Lagoa Torta" –, tendo ganhado o nome de Nossa Senhora da Piedade de Lorena, em 1788. Mal contando com mil habitantes, para Spix e Martius, Lorena era um "sítio pobre, sem importância, constando de umas quarenta casas, apesar dos férteis arredores e do tráfego, entre São Paulo e Minas Gerais". Saint-Hilaire a descreveu como "pouco avultada", de ruas não muito largas, com as casas não caiadas e de apenas um pavimento, muito próximas umas das outras. Na rua principal, segundo o botânico francês, era possível encontrar "várias lojas bem sortidas".[51] Em Lorena, o príncipe ficou hospedado na casa do capitão-mor Ventura José de Abreu. Segundo a tradição, teria plantado uma palmeira, que daria origem à rua das Palmeiras; visitou a câmara e a cadeia, que ficavam no mesmo edifício, em andares distintos, conforme o costume colonial, e a Igreja de Nossa Senhora do Rosário dos Homens Pretos, inaugurada em 1813. Para Saint-Hilaire, a pequena edificação não tinha "dourados como as igrejas de Minas, e unicamente se adorna de pinturas bastante grosseiras".

Antes de deixar a vila, na manhã no dia 19, d. Pedro escreveu a d. Leopoldina[52] e expediu o decreto que dissolveu o governo provisório paulista, ordenando a dispensa da guarda de honra, criada, sem o consentimento real, pelo coronel Francisco Inácio de Sousa Queirós e composta de 32 homens, alistados entre oficiais de milícias e comerciantes. Francisco Inácio era o líder do levante que tentou assumir o controle de São Paulo, em maio de 1822, fazendo oposição aos Andradas.

A parada seguinte deu-se em Guaratinguetá, onde o príncipe foi hospedado na casa do capitão-mor Manoel José de Melo e se encontrou com o cônego Antônio Moreira da Costa, mais tarde capelão da guarda de honra, que viera ao seu encontro comissionado pelo clero de Taubaté. A área em torno da vila de Guaratinguetá tinha, segundo o censo de 1809, pouco mais de 6.100 habitantes – 3.868 brancos, 978 mulatos e 1.269 pretos, dos quais mais de 1.200 eram escravizados.[53] A entrada da cidade deu-se por uma ponte sobre o rio do Paraíba do Sul. Como sempre, os relatos de viajantes descrevem um lugar de casas pequenas e ruas estreitas. Pela primeira vez desde o Rio de Janeiro, porém, Spix e Martius notaram a presença de vidraças, "que no Brasil sempre significam abastança e, no interior, até mesmo luxo". Guaratinguetá – que significa "muitas garças brancas", na língua dos habitantes originais – contava com três igrejas, mas o ponto de peregrinação católico estava centrado na capela de Nossa Senhora Aparecida, que os dois bávaros chamaram de "sítio de romarias", distante uma légua do centro da cidade. O pequeno templo fora erguido em 1743 para abrigar a imagem da santa, pescada em 1717 no rio próximo. À época da visita de Spix e Martius, alguns anos antes da passagem de d. Pedro, a capela achava-se ainda parcialmente construída e decorada "com dourados, más pinturas a fresco e algumas a óleo".[54] O alferes Canto e Melo não deixou nada registrado sobre a passagem por Aparecida, mas a tradição afirma que d. Pedro teria visitado a capela e feito a promessa de que tornaria Nossa Senhora Aparecida a padroeira do Brasil. No entanto, após a separação e o reconhecimento da independência por parte de Portugal, d. Pedro fez São Pedro de Alcântara, o santo de devoção da família Bragança, padroeiro do novo país. A santa só seria proclamada padroeira do Brasil mais de cem anos depois, em 1930, pelo Papa Pio XI.

No dia 20 de agosto, a viagem seguiu até Água Preta, onde a comitiva foi recebida por um pequeno grupo, composto por vereadores, pelo coronel Antônio Leite Pereira da Gama Lobo e Manuel Marcondes de Oliveira Melo, capitão-mor de Pindamonhangaba, transformados em comandante e subcomandante da guarda de honra que vinha se formando desde a partida no Rio. Dali alguns dias, ambos deixariam registradas suas memórias sobre o episódio ocorrido às margens do Ipiranga.

Após os cumprimentos, antes de entrar em Pindamonhangaba, a comitiva de recepção pôs os cavalos em ala, à beira da estrada. Para melhor apreciar e avaliar a desenvoltura dos animais, d. Pedro ordenou que seguissem em frente. A galope, logo tomou a dianteira da tropa, obrigando a mesma a uma correria. Um vereador, porém, montando um animal despreparado e desobediente, não pôde acompanhar tamanho esforço. O príncipe, percebendo o ocorrido e o apuro do cavaleiro, passou a colaborar, chicoteando o rocinante, gerando uma situação cômica, embaraçosa e vexatória.[55]

D. Pedro pernoitou no sobrado do monsenhor Inácio Marcondes de Oliveira Cabral, irmão do capitão-mor. A vila de Nossa Senhora do Bom Sucesso de Pindamonhangaba não tinha muito a oferecer. Fora criada em 1705, mas era bem mais antiga, remontando ao século XVII. O local era conhecido pelos indígenas como "lugar onde se fazem anzóis". Spix e Martius afirmam que o vilarejo apresentava "pouca prosperidade", sendo composta de "filas de casebres baixos" espalhados pelo morro. Com aproximadamente oitocentos moradores, havia apenas uma rua e três igrejas muito pequenas. Saint-Hilaire achou a principal delas "escura e bastante feia". Sobre as casas, o botânico também as considerou baixas, muito pequenas, embora cobertas de telhas, bastante limpas e bem conservadas. Encantou-se mais com a paisagem, que considerou "magnífica": espessos bosques, encantadoras sebes, matas virgens com bambus e cipós. A tradição local garante que o príncipe descansou em uma grande figueira próxima da estrada e da venda das Taipas, lugar mencionado pelos viajantes bávaros.[56]

Em Pindamonhangaba, d. Pedro se encantou com o cavalo do major Domingos Marcondes de Andrade. Fez muitos elogios ao animal, esperando recebê-lo como presente. O militar, porém, sabia que o príncipe tinha o costume de batizar seus cavalos com o nome do proprietário anterior. Com d. Pedro insistindo, Marcondes de Andrade por fim aceitou, exigindo, porém, a garantia de que o animal não receberia o nome Marcondes.[57] Além do major, outros nove pindamonhangabenses se integraram à guarda de honra, incluindo o segundo em comando, coronel Manuel Marcondes de Oliveira Melo. Todos estão sepultados na igreja de São José e, em sua homenagem, um obelisco foi construído na praça Monsenhor Marcondes.

DE TAUBATÉ A MOGI DAS CRUZES (SP)

No dia 21 de agosto, d. Pedro chegou a Taubaté, onde foi "entusiasticamente recebido pelo povo", afirma Canto e Melo. O local mais antigo do vale do Paraíba, elevado à categoria de vila em 1645, tinha como origem uma aldeia indígena, denominada Itaboaté, Tahubaté, Tabayaté ou Taboaté – "aldeia elevada". Saint-Hilaire descreveu assim o lugar: fica situado "em terreno plano e tem a forma de um paralelogramo alongado. Consta de cinco ruas longitudinais, todas pouco largas, mas muito limpas e cortadas por várias outras". As casas eram todas muito próximas e sua construção consistia em vigas e ripas amarradas com cipó, barreadas e caiadas com tabatinga, o chamado "barro branco", material argiloso que era comum na região. No telhado, telhas côncavas ou tábuas finas de madeira. Segundo Spix e Martius, o mobiliário, de modo geral, consistia em "alguns bancos e cadeiras de pau, uma mesa, uma grande arca, uma cama com tabuado assentado sobre quatro paus (jiraus), coberta com esteira ou pele de boi".[58] Muitas mantinham um quintal, onde se plantava banana e café. O município tinha mais de 8.700 habitantes, dos quais 6.111 eram brancos,[59] e a vila contava com uma igreja paroquial, que possuía duas torres, altar-mor e outros cinco altares, e outras três igrejas menores, além de um convento franciscano, o de Santa Clara, situado na estrada que levava ao Rio de Janeiro. Taubaté dispunha de muitas vendas e várias estalagens. Segundo Saint-Hilaire, esses lugares de hospedagem eram "verdadeiros prostíbulos", mantidos por homens ou mulheres ávidos por comerciar os encantos femininos do lugar com os viajantes. Aqui, d. Pedro teria feito jus à fama que lhe era atribuída. Ainda que estivesse hospedado na casa do cônego Antônio Moreira da Costa, saiu à noite, encontrou um desses estabelecimentos e o conforto sexual que procurava. A rua do Gado, por onde ele transitou, passou a se chamar rua do Príncipe (hoje rua Quinze de Novembro). No mesmo dia 21, escreveu carta a d. Leopoldina, que há dias cobrava notícias.[60]

Na manhã seguinte, a jornada continuou em direção a Jacareí. Canto e Melo menciona a passagem da comitiva pelo povoado, sem entrar em detalhes: d. Pedro foi "encontrado por grande número de cavaleiros, a cuja frente achava-se o capitão-mor, seus irmãos e cunhado". Os viajantes do século XIX quase nada informam sobre Jacareí – o "rio dos Jacarés". Saint-Hilaire afirma que nada de notável ocorreu em sua passagem pelo rio Paraíba, fazendo referência maior à existência de indígenas na área: "são pouco numerosos e vivem em extrema pobreza". Spix e Martius, por sua vez, esclarecem que a passagem realizada em 1817 foi feita com canoas.[61] Impaciente, d. Pedro não quis esperar a balsa que fora especialmente preparada para a travessia, tendo passado o curso d'água a cavalo. Molhado até a cintura, procurou entre os que haviam atravessado o rio na barcaça alguém que tivesse a mesma estatura. Encontrou Adriano Gomes Vieira de Almeida e a este teria dito: "Pois bem, troquemos nossos calções". E assim, de roupa seca, pôde seguir viagem, chegando à vila, onde ficou hospedado na casa do capitão-mor Cláudio José Machado. Muitos anos depois, o jovem Vieira de Almeida contaria que esperou a devolução dos calções novos, trocados com os velhos usados por d. Pedro, quiçá com algum presente no bolso. Nunca recebeu a roupa de volta, mas foi nomeado alferes da guarda de honra. Mais tarde foi juiz municipal, promotor, delegado de polícia e vereador em Pindamonhangaba.[62]

Passando por Jacareí, no dia 23 de agosto, a comitiva alcançou Mogi das Cruzes, um antigo povoado criado por Brás Cubas em 1560. O nome original era Boigy – de *m'boigy*, "rio das Cobras", como os indígenas chamavam um trecho do rio Tietê. Elevada à categoria de vila em 1611, Mogi tinha pouco mais de 1.600 habitantes no começo do século XIX.[63] D. Pedro "foi recebido e nobremente tratado" pelo capitão-mor João de Castro Canto e Melo, mais tarde visconde de Castro. Nascido na ilha Terceira, João era pai do alferes que acompanhava o príncipe e de Domitila, a Titília, que viria ser a marquesa de Santos, a mais célebre das amantes de d. Pedro. Uma hora após a chegada do séquito real, emissários do governo da província e do Senado da Câmara da capital tentaram uma audiência com o regente. O príncipe não os recebeu, alegando que por decreto real, emitido em Lorena, quatro dias antes, o governo provisório estava dissolvido. Dessa forma, os delegados foram obrigados a deixar a vila. No mesmo dia 23, d. Pedro aceitou o pedido de exoneração do marechal João Arouche de Toledo Rendon e nomeou o marechal Candido Xavier de Almeida Souza como novo governador de Armas da província. Também designou o tenente-coronel Joaquim Aranha Barreto de Camargo, que o acompanhava desde a Venda Grande, para o governo da praça de Santos. Na manhã seguinte, assistiu à missa na igreja de Sant'Ana, hoje catedral diocesana, e seguiu viagem.

PENHA DE FRANÇA (SP)

Na tarde do dia 24 de agosto, o viajante real chegou a Nossa Senhora da Penha, também conhecida como Penha de França, uma povoação de meados do século XVII. Dali, do alto da colina, já era possível avistar São Paulo, com seu palácio e campanários, distante cerca de doze quilômetros. Hoje um bairro da Zona Leste de São Paulo, em 1822 a paróquia tinha então pouco mais de 1.100 habitantes. Saint-Hilaire observou que havia bem poucas casas. Elas estavam espalhadas por fazendas, chácaras e sítios às margens da estrada que levava à capital, e muitas delas serviam de comércio. O botânico francês achou curioso o fato de que, diferente do que ele vira em outras províncias, ali a venda não era aberta ao comprador, que recebia a mercadoria do lado de fora de onde ficavam armazenados os mantimentos e a cachaça.[64]

De Penha, d. Pedro expediu ordens chamando o ouvidor da comarca de Itu, o desembargador José de Medeiros Gomes, para o serviço na capital, e determinou o horário em que o Senado da Câmara deveria aguardá-lo às portas da cidade – a câmara antiga, claro, já livre dos envolvidos com o motim de maio, orquestrado por Francisco Inácio. À noite, o príncipe despachou Canto e Melo e Chalaça para a capital, a fim de averiguar como andavam os ânimos. Cauteloso, ainda temia que os bernardistas pudessem estar preparando algo contra ele. Os dois regressaram à meia-noite, dando "exatas informações a respeito": São Paulo dormia em "perfeita quietação".

Na manhã seguinte, logo cedo, d. Pedro assistiu à missa e seguiu em cortejo, atravessando os ribeirões de Aricanduva e Tatuapé. Ao entrar na capital paulista, depois de quase doze dias de viagem, d. Pedro tinha percorrido, segundo os cálculos da época, 96 léguas (ou 634 quilômetros).[65] Uma jornada longa, mas exitosa. Nos primeiros quatro dias, entre o Rio de Janeiro e Lorena, em território paulista, cruzou os trechos mais longos: de São Cristóvão a Santa Cruz (mais de sessenta quilômetros), de São João Marcos a Bananal (aproximadamente 65 quilômetros), de Bananal a Areias (aproximadamente setenta quilômetros) e de Areias a Lorena (aproximadamente sessenta quilômetros). O caminho entre Itaguaí (RJ) e Areias (SP) foi especialmente difícil, uma vez que foi necessário subir a serra e a estrada serpenteava por morros e encostas íngremes. Ao longo de todo o percurso, a caravana valeu-se de cavalos e mulas, com os quais cruzou cidades, vilas, povoados, vales, várzeas, colinas e serras, atravessou rios e arroios. O príncipe regente emitiu decretos, destituiu governos, nomeou gente para cargos públicos e concedeu patentes militares a sua guarda de honra, assistiu a missas, plantou árvores, apostou carreira, comeu com a escravatura e achou tempo para encontros sexuais, mas, principalmente, recebeu apoio incondicional por onde passou. Dentro de treze dias, o hiperativo d. Pedro mudaria a história do Brasil.

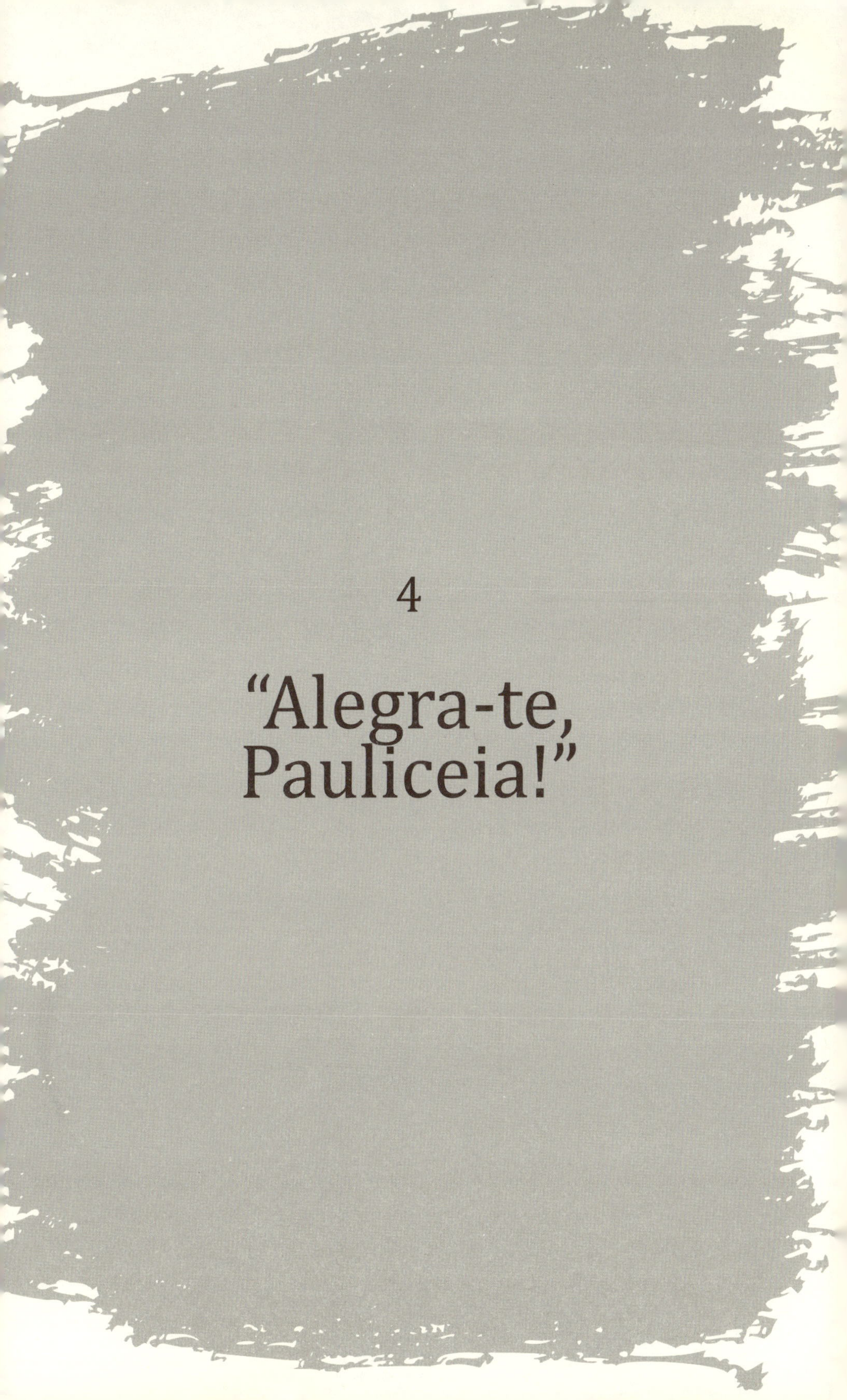

4

“Alegra-te, Pauliceia!”

SÃO PAULO, domingo, 25 de agosto de 1822. D. Pedro entrou na capital pela várzea do Carmo (no que viria a ser a avenida Rangel Pestana), passando pelas pontes do Ferrão e do Franca, sobre o rio Tamanduateí. Segundo seu companheiro de viagem, com "vivas demonstrações de júbilo e entusiasmo". Da segunda ponte em diante, o Terceiro Regimento de Infantaria Miliciana, comandado pelo coronel José Joaquim Cesar de Siqueira Lima, formou alas até a cidade. Ao som dos disparos de seis peças de artilharia e dos sinos da cidade em repique, a comitiva real subiu a ladeira do Carmo em direção à casa do bispo d. Mateus de Abreu Pereira. No largo, entre a igreja do Carmo e a porta do prelado, um arco do triunfo decorado e um pálio aguardavam o jovem príncipe. O arco estava ornado com galões, estofes e flores. Em cima, uma figura em atitude de júbilo trazia versos acolhedores sobre a honra da cidade em receber tão nobre visitante. Nas laterais da armação estavam personalizadas a verdade e a justiça, e nos pedestais, gênios portavam inscrições de saudação ao "Pedro Excelso".

Conforme determinado previamente, ali d. Pedro foi recebido por autoridades da cidade e do estado, pelo bispo e pela população que se aglomerava em volta. Estavam presentes, portando o estandarte do Senado da Câmara, o juiz de fora e presidente da casa, capitão Bento José Leite Penteado, os vereadores José Mariano Bueno, Manuel Joaquim de Ornelas e José de Almeida Ramos, e o procurador Luiz Manoel da Cunha Bastos. O governo da província estava representado por seu presidente interino, o chefe de esquadra Miguel José de Oliveira Pinto. O octogenário bispo d. Mateus, vestido de pontifical e acompanhado do cabido e do clero, aspergiu o príncipe com água benta, cantou antífonas e rezou as orações apropriadas sob um altar improvisado.

Sem discursos ou delongas, o grupo seguiu até a igreja da Sé. Debaixo do pálio real d. Pedro percorreu as ruas, que, segundo um jornalista, estavam ocupadas de "imenso povo". Das janelas, decoradas com seda, senhoras saudavam o jovem Bragança cobrindo-o de rosas e flores. Ao entrar na praça da Sé, passou debaixo de outro arco, encimado de Minerva, a deusa romana das artes, do comércio e da sabedoria, e um escudo com as armas do Reino Unido de Portugal, Brasil e Algarves. Em um dos lados do arco, a inscrição: "Esteio do Brasil, príncipe amável, / Se a pátria escudas, pacificas a orbe, / Se as ditas nossas dádivas são tuas, / Teu nome ombreará com a eternidade./ Bem merece que a pátria levante / Em fino jaspe, ou bronze, alta memória, / Ou que peito, que inspira amor da glória, / Em prêmio a seu suor seu nome cante." Ao lado, em pilastras, figuras personificavam a lei, a liberdade, a felicidade e a paz. Dois obeliscos enfeitados com troféus, palmas e louros traziam os nomes de d. Pedro e d. Leopoldina. Na igreja, o príncipe regente sentou-se em um sitial de damasco carmesim, com palmas, festões e flores. Cantou-se um *Te Deum* em ação de graças, e o mestre-capela e tenente-coronel André da Silva Gomes executou músicas sacras. Encerrado o ato religioso, d. Pedro dirigiu-se ao palácio do Governo, mas já sem o pálio. Cruzou duas colunas encimadas pela figura de Fama – a divindade grega incumbida de anunciar os deuses. Nas laterais, as estruturas continham efígies da América e da Europa; no centro, um brasão do reino, versos de Virgílio e expressões do próprio d. Pedro: "Brasileiros, firmeza, constância, intrepidez na grande obra começada!", "Em desempenho da minha honra e amor ao Brasil darei a vida pelo Brasil!" e "Advoguem a causa do Brasil ainda que contra mim seja", entre outras. No Pátio do Colégio, dois coretos executavam música instrumental. O palácio, que ocupava a antiga instituição jesuíta, fora decorado com a melhor tapeçaria encontrada na cidade e ricamente mobiliado com auxílio dos cidadãos mais abastados. Na sala de audiência, um quadro do príncipe regente foi colocado debaixo do dossel. Ali, deu-se o beija-mão, concedido primeiro aos membros da Câmara, depois ao bispo e ao clero, seguidos de demais autoridades e pessoas sem precedência. O cerimonial foi encerrado com salvas de artilharia e três descargas da tropa miliciana. À noite, prédios e casas importantes foram iluminadas com lampiões de azeite – São Paulo não contava com iluminação pública.[66]

ENTRE VISITANTES E DELIBERAÇÕES

No dia seguinte à chegada, novo beija-mão. De tradição medieval, a solenidade consistia em fazer o súdito ajoelhar e beijar a mão do monarca ou de membros da família real, em sinal de respeito e subserviência. Fora abandonado na Europa, mas era ritual diário da corte portuguesa no Brasil. Aonde quer que fossem os Bragança, havia um beija-mão. Em São Paulo não seria diferente. Dessa vez, a Câmara pôde se pronunciar. Por ter "suficiência para falar", Ornelas foi escolhido como orador. "Alegra-te, Pauliceia!", começou ele. "Exalta de prazer! Despe as enlutadas roupas em que te envolveste quando, trespassada da maior dor, viste rompida a tranquilidade em que vivias". O discurso era uma clara referência à bernarda de maio. E para que não pairasse qualquer dúvida sobre a posição dos paulistas, chamou d. Pedro de "astro luminoso que, raiando do nosso horizonte, veio dissipar para sempre, com seus brilhantes raios, as negras e espessas sombras que o cobriam".[67] A presença do regente reestabelecera a ordem, mas a situação ainda era delicada e embaraçosa. D. Pedro havia determinado que nenhum vereador que tivesse participado da bernarda fosse ao seu encontro. Mas o próprio líder da revolta, o coronel Francisco Inácio, acompanhado do intendente de Santos, Miguel José de Sousa Pinto, querendo demonstrar arrependimento e submissão, ousou se apresentar durante o beija-mão. Segundo Canto e Melo, o príncipe tornou-se "severo e reservado" ao ver o desafeto. Quando este se inclinou em postura de beijar-lhe a mão, d. Pedro negou o privilégio e ordenou que o militar insidioso seguisse imediatamente para o Rio de Janeiro. E para demonstrar seu repúdio aos bernardistas, o príncipe se hospedou nas casas do brigadeiro Manuel Rodrigues Jordão e de seu sobrinho, o coronel Antônio da Silva Prado, principais figuras legalistas. Os dois moravam em sobrados de frente um para o outro, na esquina das ruas de São Bento e Direita. Conforme Canto e Melo, deram ao nobre hóspede "obsequiosa e magnífica" acolhida.

Nos dias seguintes, d. Pedro continuou deliberando. Como o marechal Cândido Xavier, nomeado novo comandante de Armas de São Paulo, ainda não chegara à cidade, designou o coronel José Joaquim César de Cerqueira Leme interinamente para o cargo. Para juiz de fora, ordenou a posse de José Correia Pacheco, que antes atuara em Santos. Entre um despacho e outro, acolheu emissários e representantes de diversas cidades paulistas, atendendo delegações de Itu, Campinas, Santos e Sorocaba. De Itu, recebeu o capitão-mor Vicente da Costa Taques Góis e Aranha. Septuagenário que comandava a vila desde 1779, o militar se apresentou ao príncipe com uma velha farda colonial: casaca "cor de sangue", camisa de babados, chapéu bicorne preto galonado de ouro, cabeleira de massarocos e rabicho, com espada à cintura. O vermelho do uniforme fora substituído pelo verde havia mais de uma década, mas Taques Góis e Aranha continuava a usá-lo, assim como mantinha hábitos e gentilezas já fora de uso desde muito tempo na Europa, como comentou Saint-Hilaire em uma visita que fizera a Itu. Embora o capitão-mor fosse culto, por ser poeta e latinista, importante homem público, e tivesse percorrido mais de cem quilômetros para reverenciá-lo, d. Pedro caiu na gargalhada ao ver aquela figura grotesca, de peruca empoada e uniforme de outra era. O pobre homem se tornou objeto de risos e zombarias dos presentes à audiência. Perturbado com a situação vexatória, o idoso capitão-mor aguardou, recuperou a calma, esperou o término das risadas, curvou-se e antes de sair, disparou: "Saiba Vossa Alteza Real que com esta farda, agora ao seu serviço, já por muitos anos servi aos Senhores Reis, seus augustos avós".[68] Só então o príncipe se deu conta da indiscrição e deselegância, recobrou a postura e mandou chamar o humilhado, cobrindo-o de explicações, reforçando o pedido para que não abandonasse a causa do Brasil. Quatro meses depois, d. Pedro fez do capitão-mor de Itu cavaleiro da Ordem do Cruzeiro; e, três anos mais tarde, concedeu-lhe a Ordem de Cristo.

Dando continuidade à organização política da província, como determinava o decreto emitido em junho, no dia 29 de agosto foram realizadas as eleições para o novo governo paulista. O resultado mostrou o quanto a revolta de maio havia impactado e ainda dividia o estado. Mesmo com d. Pedro em São Paulo, Oeynhausen, o governador deposto, recebeu 23 votos. O candidato ligado aos Andradas, Luís Saldanha da Gama, que viera na comitiva real, recebeu 42. Nomes ligados à bernarda de Francisco Inácio também se elegeram secretários e deputados.[69]

A BERNARDA DE FRANCISCO INÁCIO

A ideia da viagem a São Paulo, assim como a empreendida até Minas Gerais, tivera origem em dezembro de 1821, em meio às articulações do Dia do Fico, quando um abaixo-assinado popular convidou o príncipe regente a visitar e conhecer "o interior deste vastíssimo continente".[70] Tal como a jornada até Vila Rica, o caminho para a capital paulista foi pensado e preparado para obter apoio à causa de d. Pedro. Pôr em ordem a província, politicamente dividida desde maio, fora o motivo emergencial da viagem.

Os paulistas eram governados desde 1819 pelo brigadeiro João Carlos Augusto Oeynhausen, um lisboeta, filho do conde de Oeynhausen e da condessa de Assumar e marquesa d'Alorna. O pai, alemão que servira à Inglaterra e ao duque de Brunswick, estabelecera-se em Portugal e ali servira em altos cargos. Com boa educação e carreira militar, Oeynhausen chegou ao Brasil em 1799, como governador do Grão-Pará e Rio Negro. Ele seria ainda mandatário do Ceará e do Mato Grosso, antes que d. João VI o nomeasse para a capitania de São Paulo. Saint-Hilaire o descreveu como um homem ativo e sociável, muito bem considerado pela população, de traços e atitudes que indicavam a ascendência alemã, com "alguma cultura e certo espírito".[71] Após a partida de d. João, uma formação popular promoveu a eleição de uma delegação que viria a governar até a elaboração de uma nova Constituição. Assim, em junho de 1821, por indicação de José Bonifácio, Oeynhausen foi eleito por aclamação presidente da Junta Provisória, do qual faziam parte ainda o próprio José Bonifácio, como vice-presidente e quem realmente mandava, e seu irmão

Martim Francisco Ribeiro de Andrada, como secretário do Interior. No entanto, sete meses depois, d. Pedro nomeou José Bonifácio para o ministério do Reino e dos Negócios Estrangeiros. Velhos ressentimentos vieram à tona e São Paulo dividiu-se entre os que estavam com o presidente e aqueles que se colocavam ao lado de Martim Francisco, o Andrada que permanecera na província. Do Rio, José Bonifácio conseguiu articular a queda de Oeynhausen e a indicação do irmão para presidência. Quando a notícia chegou a São Paulo, o comandante do Regimento de Milícias da cidade, Francisco Inácio de Sousa Queirós, organizou uma "bernarda". A expressão, corrente na época, vem de "bernardices", que havia se transformado em sinônimo de tolice ou asneira, pois assim os frades beneditinos se referiam às reformas realizadas por são Bernardo. Os militares portugueses usavam a expressão para designar uma conspiração militar, mas no Brasil passou a ser associada a qualquer movimento popular, revolta ou motim. A de São Paulo ganhou o nome de "Bernarda de Francisco Inácio".[72] O coronel prestava importantes serviços a Portugal, participara das guerras napoleônicas, na Península Ibérica, e comandava a polícia paulista. Além disso, era um comerciante de sucesso, com uma loja de fazendas na rua Direita.

Deflagrada às quatro horas da tarde de 23 de maio de 1822, os revoltosos tomaram a Câmara, no largo de São Gonçalo, e exigiram a permanência de Oeynhausen e as destituições de Martim Francisco e do brigadeiro Manuel Rodrigues Jordão – o mesmo que mais tarde acolheria d. Pedro em seu sobrado. Martim Francisco renunciou e se dirigiu para o Rio, onde seria nomeado ministro. Mas a perseguição aos andradistas continuou, casas foram invadidas e revistadas e muitos deles acabaram presos. No Rio, em junho, quando tomou conhecimento da situação, o príncipe regente ordenou a extinção da Junta de Governo e que Oeynhausen se retirasse para corte.[73] No caminho para o exílio, o ex-governador cruzou com a comitiva de d. Pedro na fazenda Santa Cruz, em agosto, mas não foi recebido por ele. Já Francisco Inácio foi removido para Santos e depois, quando da chegada de d. Pedro a São Paulo, para o Rio. Pelo menos 35 envolvidos foram exilados, incluindo os influentes Daniel Pedro Müller, o padre Mimi, o capitão Pedro Taques e o ouvidor José da Costa Carvalho. Uma Junta de Governo foi estabelecida até que outra tomasse posse, o que ocorreu em janeiro de 1823 – em setembro daquele ano, todos os envolvidos no movimento seriam anistiados; e mais tarde d. Pedro faria Oeynhausen marquês de Aracati.

A SÃO PAULO DE 1822

Situada em uma elevação, no delta formado pelos rios Anhangabaú e Tamanduateí, São Paulo nasceu do povoado criado em torno do colégio jesuíta, estabelecido para catequização de indígenas do planalto de Piratininga, por um grupo de padres, entre eles Manuel da Nóbrega e José de Anchieta, em 25 de janeiro de 1554. O colégio fora transferido de São Vicente, no litoral, e o núcleo inicial logo recebeu mais gente, transferida de Santo André da Borda do Campo, aldeia de João Ramalho e do cacique Tibiriçá. O pequeno platô, situado na confluência de dois rios e protegido por uma escarpa íngreme, tinha vantagens estratégicas, permitindo que possíveis invasores fossem avistados de longe. Mas o colégio não passava de uma construção rústica, com paredes de taipa e telhado de palha, de catorze passos por dez. No fim do século XVI, a povoação contava com de cerca de 120 casas. Na década de 1610 ainda não havia espelhos disponíveis, e as redes indígenas eram mais comuns do que as camas – aliás, em 1620, a única cama confortável foi requisitada por um juiz visitante e entregue sob protestos. Muito lentamente, o lugar foi crescendo. São Paulo foi elevada à categoria de vila em 1560, à sede de capitania em 1681, à cidade em 1711 e à sede do bispado em 1745. Em 1822, após quase três séculos desde sua fundação, pouco havia mudado. São Paulo era minúscula se comparada ao Rio ou Salvador. A cidade que d. Pedro encontrou tinha apenas 6.920 habitantes. O município, incluindo a área rural e distritos distantes, como São Bernardo, Cotia e Guarulhos, somava 24.311 habitantes, segundo o censo daquele ano. Destes, 12 mil eram brancos, 4.900 pretos e 7.300 pardos. Havia pouco mais de 5.500 escravizados, um número proporcionalmente bem menor do que na corte e nas cidades mineiras, por exemplo.[74]

O núcleo urbano, ainda espremido entre o Anhangabaú e o Tamanduateí, era formado por 38 ruas, dez travessas, sete pátios e seis becos, e aproximadamente 1.360 "fogos" – como eram então chamadas as habitações. Saint-Hilaire achou a localização "encantadora", o que permitia respirar "um ar puro". Spix e Martius escreveram que São Paulo tinha "todos os encantos da zona tropical", sem o desconforto do calor excessivo. Segundo John Mawe, as ruas eram "extraordinariamente limpas; pavimentadas com grés, cimentado com óxido de ferro, contendo grandes seixos de quartzo redondo". As principais ruas (ou pelo menos as com maior população) eram as do Rosário, da Direita, do Comércio e de São Bento. De modo geral, as ruas se cruzavam em ângulos irregulares, com exceção da esquina entre as ruas de São Bento e da Direita, conhecida como "Quatro Cantos". Ali ficava um dos oratórios públicos da cidade, o de Santo Antônio: incrustrado em um prédio, servia para celebrações religiosas. Localizados nos Quatro Cantos estavam também os sobrados do brigadeiro Jordão e de Antônio Prado, onde d. Pedro ficaria hospedado.

As casas e edificações eram quase todas construídas de taipa, com postes e vigas de madeira entrelaçada, cobertas de barro. Para Saint-Hilaire, eram bastante sólidas, caiadas e cobertas de telhas, mas nenhuma delas sugeria opulência – as dos lavradores não passavam de choupanas miseráveis, sem piso pavimentado ou assoalhado, e apenas os sobrados contavam com vidraças. As paredes eram pintadas de cores claras, e as casas mais antigas continham arabescos; as mais novas eram dotadas de cercaduras e lambris. Não havia lareiras, e os objetos de enfeite eram colocados sobre as mesas. Entre as principais construções estavam o palácio do Governo – que ocupava o local do antigo colégio dos jesuítas, hoje conhecido como Pátio do Colégio –, a residência do bispo d. Mateus e o mosteiro do Carmo, que podiam ser observados a distância, desde Penha de França. Saint-Hilaire achou o palácio grande, embora com aparência de um mosteiro, e a igreja dos carmelitas bastante superior à catedral – que era, na opinião dele, um prédio vasto e feio, cujo reboco tinha caído. O prédio da Câmara e o Teatro da Ópera também chamavam atenção. O primeiro, de dois pisos, nove janelas e um frontão, media setenta passos de comprimento por vinte de largura, e, além da Câmara, também servia de cadeia. "Como em outras cidades, os presos podem ficar à janela e conversar com os passantes", observou o francês. O teatro ficava em frente ao palácio, mas era pequeno, de um só pavimento e sem ornamentos. Segundo Mawe, naquela época São Paulo contava com muitas praças e treze lugares de devoção, sendo dois conventos, três mosteiros e oito igrejas.[75]

O censo de 1822 traz uma amostragem da diversidade de profissões e ocupações presentes na cidade: sete médicos e cirurgiões-mores, três boticários, dois advogados e um tabelião; três professores de gramática, três de alfabetização, um de retórica, um de teologia e um de filosofia; 92 costureiras, 48 rendeiras, 33 tecelões, 46 negociantes de "fazendas secas", 45 de "molhados" e um de "secos e molhados"; 24 carpinteiros, 21 alfaiates, quinze ferreiros, vinte sapateiros, oito ourives, dez marceneiros, oito seleiros, cinco pintores e quatro pedreiros; e 57 lavradores e oito tropeiros, além de clérigos, militares, latoeiros, músicos, padeiros, pescadores, relojoeiros, violeiros, entre outros.[76]

A circulação de escravizados nas ruas não era tão comum e intensa como no Rio. Havia lojas bem sortidas e os comerciantes vendiam de tudo um pouco, embora, na opinião de Saint-Hilaire, com pouca limpeza – "as lojas eram escuras e enfumaçadas" e as mercadorias eram armazenadas sem organização, "atiradas de qualquer jeito".[77] O único coche existente pertencia ao bispo d. Mateus, que o usava para chegar a sua chácara, no bairro da Glória, onde cultivava o bicho da seda.

Para além do núcleo urbano, cinco estradas ligavam São Paulo com o mundo exterior. O "Caminho do Mar" ligava a cidade ao porto de Santos; e o "caminho da boiada" seguia em direção a Sorocaba e às províncias sulinas. As estradas para Campinas e Mato Grosso passavam por Itu e Porto Feliz. O caminho que ligava São Paulo a Minas Gerais era feito via Atibaia e Bragança, e o que a conectava com o Rio passava pelo vale do Paraíba. Por este último chegaria d. Pedro. Sobre uma das pontes atravessadas pelo príncipe, a que ficava sobre o rio Tamanduateí, chamada "do Ferrão" por estar na chácara de José da Silva Ferrão, hoje no bairro do Brás, Saint-Hilaire deixou registrado em seu diário que era muito pequena, feita de pedra, "de um só arco", medindo 37 passos de comprimento por sete de largura. Por esses caminhos chegavam mercadorias da Europa ou do interior do país, bem como era escoada a produção paulista, que na verdade ainda era basicamente para consumo interno.

Nas décadas de 1820 e 1830, o café, que viria a ser o principal produto paulista na segunda metade do século XIX, mal representava 0,1% da exportação da província. A produção da cidade e da região ao seu entorno estava baseada na lavoura do chá (34%) e na fabricação da farinha de mandioca (13%), do algodão (6%) e da cachaça (5%).[78] O chá fora introduzido na região pelo marechal José Arouche de Toledo Rendon, representante do Senado da Câmara paulista no Rio, no Dia do Fico, e o primeiro diretor da faculdade de Direito. Uma década depois da passagem de d. Pedro, Rendon tinha 44 mil pés plantados no morro do Chá. Na propriedade de seu vizinho, o barão de Itapetininga, muito mais tarde seria construído o viaduto do Chá. Além da implantação do chá em São Paulo, Toledo Rendon foi o responsável pela criação da área que viria a ser conhecida como largo do Arouche, que na época servia para exercícios militares.

A preparação da roça e o cultivo da terra, de modo geral, eram primitivos, baseados no uso do machado, da foice e da enxada, quase sem animais de tração. Poucas chácaras tinham arado, e o animal mais usado e apreciado para o transporte de carga era a mula. No campo eram criados cavalos, burros, carneiros, porcos e bois. As vacas eram consideradas "um estorvo", e até mesmo o consumo do leite de cabra era mais comum do que o do bovino. A base da alimentação era composta por carne-seca, toicinho, batata, milho, arroz, feijão, farinha de mandioca e canjica, que Spix e Martius chamaram de "comida nacional dos paulistas".

Saint-Hilaire observou que, via de regra, a população falava muito mal o português :"sua pronúncia é surda e arrastada", afirmou. O "dialeto" falado em São Paulo não era motivo de escárnio apenas de estrangeiros. Foi motivo de controvérsia até mesmo entre os brasileiros, quando se discutiu qual cidade receberia uma universidade, durante a Constituinte de 1823. O deputado José da Silva Lisboa, mais tarde visconde de Cairu, achava que dos "dialetos" falados no

Brasil, "com seus particulares defeitos", o de São Paulo era reconhecido como o "mais notável". Uma faculdade ali seria uma influência desagradável para os estudantes. A proposta de José Feliciano Fernandes Pinheiro, no entanto, acabou vencendo, e São Paulo receberia a primeira faculdade de Direito em 1827 – pela salubridade, amenidade de clima, posição estratégica e custo de vida mais barato. Em parte, o modo de falar paulista devia-se aos grupos étnicos e sociais que formaram a cidade, com influência de indígenas, mamelucos e caipiras, que não mantinham contato com a Europa ou com Rio, capital da colônia e mais ilustrada. Parte considerável da população – mulheres e escravizadas, principalmente – se comunicava na chamada "língua da terra", o tupi. Não por acaso, parte do vocabulário usado em São Paulo tinha origem indígena, como nos verbos cutucar e pererecar, e em nomes usados no dia a dia, como arapuca, moqueca, capoeira, peteca, canoa, coivara, entre outros.[79]

Para os viajantes, o linguajar era apenas um dos aspectos curiosos da população de São Paulo. O comportamento feminino também chamava a atenção. Mawe afirmou que as senhoras paulistas invariavelmente vestiam seda preta, principalmente quando iam à igreja. O vestuário consistia de xale, casimira ou casaco de lã enfeitado de veludo, renda dourada, fustão ou pelúcia, dependendo da época do ano e dos recursos financeiros. Muitos viajantes e pintores registraram o hábito feminino de usar o manto com que costumavam cobrir-se, da cabeça aos pés, à moda de países islâmicos, uma herança moura trazida para a América pelos ibéricos – o que, em 1775, deu motivos para que um governador desconfiado proibisse o uso de tal vestimenta; medida que, na prática, pouco adiantou. Já durantes os bailes, as mulheres optavam pelo vestido de cor branca. Os cabelos eram presos por travessas, e colares de ouro usados como adereços. As mulheres das classes mais altas pouco faziam além de bordar e cozer. Os trabalhos domésticos eram realizados por servas ou escravizadas. Como regra, elas não se mostravam a visitantes e estrangeiros. Nem sequer se sentavam à mesa; escondiam-se atrás de treliças e muxarabiês das janelas, outra herança moura já banida no Rio de Janeiro. Um escandalizado Saint-Hilaire afirmou que as mais pobres trabalhavam durante a noite. "Em nenhum outro lugar vi um número tão grande de prostitutas", afirmou ele.[80] Os "excessos sexuais" da população foram observados por diversos outros estrangeiros e, em parte, explicam o elevado número de doenças venéreas disseminadas na cidade, principalmente a sífilis. Mas no começo do século XIX, o grande problema de saúde pública de São Paulo era a varíola, então chamada de "bexiga", devido às bolhas e erupções que causava na pele. O governo fez campanhas e exigiu a colaboração dos capitães-mores, fazendo com que muitos habitantes se dirigissem para a capital aos sábados, a fim de receber a vacina. O esforço deu resultados, em 1821 pelo menos 10.819 pessoas foram vacinadas.[81] A saúde pública era uma preocupação constante, já que além da varíola e da sífilis, grassavam ainda a disenteria e a malária. Aliás, foi por questões de higiene que o primeiro cemitério da cidade foi inaugurado em 1818, sendo o precursor do novo hábito de não enterrar os mortos junto às igrejas ou dentro delas. O cemitério dos Aflitos ficava próximo à chácara dos Ingleses (mais tarde largo São Paulo, depois praça Almeida Júnior, no bairro Liberdade), na estrada que conduzia a Santos. Ali próximo residia aquela que seria a amante mais famosa de d. Pedro.

O ENCONTRO COM DOMITILA

São Paulo tinha fama de ser a terra das mulheres mais formosas do Brasil. Spix e Martius escreveram que as paulistas eram "esbeltas, de constituição forte, porém graciosas nos gestos, e nos traços fisionômicos", com rostos redondos que demonstravam alegria e franqueza.[82] Na capital, seguindo o censo de 1822, viviam 4.004 mulheres e pouco mais de 2.900 homens. Uma cidade cheia de mulheres aos pés de um homem com fama de mulherengo e conquistador. Segundo uma tradição oral, antes da chegada do príncipe, o coronel e engenheiro militar Daniel Pedro Müller teria dito às filhas que a primeira delas que ousasse sair à rua ou chegasse próximo da janela enquanto d. Pedro estivesse em São Paulo haveria de se ver com ele. Na verdade, a filha mais velha de Müller tinha apenas dez anos na época e ele estava entre os líderes bernardistas, de quem o príncipe fez questão de manter distância. Embora sem fundamento, a história ilustra bem o quanto a reputação de d. Pedro o precedia e deu margem a todo tipo de falatório.

Uma paulista, porém, chamou a atenção de d. Pedro mais do que qualquer outra: Domitila de Castro Canto e Melo, filha do coronel reformado João de Castro Canto e Melo e irmã do alferes Canto e Melo. Natural dos Açores, o velho militar era conhecido por "Quebra-vinténs", segundo alguns, devido à força e à facilidade com que quebrava uma moeda de cobre entre os dedos da mão; para outros, "vinténs" seria uma gíria da época que significava "virgindade" – o que indica que o coronel, assim como d. Pedro, era um conhecido deflorador de donzelas.[83] Seja como for, o pai de Domitila tinha uma longa história de serviços prestados ao Exército português, servira no Sul do Brasil, fora monteiro-mor do reino e próximo de d. João VI, o que lhe valeu, em 1820, a nomeação para os serviços de viação pública em São Paulo. Dois anos depois, como inspetor de reparação de estradas, foi incumbido por Daniel Pedro Müller de reparar a estrada para Santos, a ponte sobre o Tamanduateí e a ladeira do Carmo, por onde d. Pedro deveria entrar pela capital paulista. O irmão de Domitila seguia os passos do pai. Havia sentado praça no corpo de Cavalaria de Caçadores da Legião, prestou serviço em Montevidéu e aos 23 anos estava servindo no Rio desde janeiro de 1822.[84] Francisco de Castro Canto e Melo fez toda a viagem ao lado de d. Pedro. Mais tarde, em dezembro de 1864, já como visconde de Castro, ele escreveu um relato da jornada, que seria publicado no Rio de Janeiro, pelo *Correio Mercantil*, em janeiro do ano seguinte.[85]

Nascida em São Paulo, em 1797, Domitila tinha então 24 anos. Embora proveniente de uma família com alguma influência e importância, não tinha boa formação – e assim como d. Pedro, escrevia cartas em um português sofrível. Mas, a julgar pelos relatos, era bonita, o que para o príncipe regente bastava. O tenente Carl Schlichthorst, que a conheceu no Rio de Janeiro, afirmou que Domitila se distinguia pelo "rosto regular e formoso, e pela desusada alvura da tez". A despeito de já não ser mais tão jovem, os olhos não haviam perdido o fulgor, e, além de não lhe faltar gordura, o que correspondia ao gosto geral da época, uma porção de cachos escuros emolduravam uma linda face. "É uma mulher verdadeiramente bela, de acordo com a fama de que gozam as paulistas", escreveu o alemão. O conde de Gestas, agente diplomático francês na corte brasileira, tinha opinião semelhante. Domitila teria "um exterior agradável, que pode passar por beleza num país onde ela é rara". Mas havia opiniões em contrário. O visconde de Barbacena achava que ela era "mediocremente bonita". Já Carl Seidler, conterrâneo de Schlichthorst, afirma que a paulista "absolutamente não era bonita e era de uma corpulência fora do comum".[86]

Domitila estava envolvida em um complicado caso de divórcio quando o príncipe regente chegou a São Paulo. Casada aos quinze anos com o alferes mineiro Felício Pinto Coelho Mendonça, nove anos mais velho do que ela, a filha do coronel Canto e Melo tinha dois filhos (um terceiro morrera ainda criança) e um histórico de maus tratos e violência doméstica. Em 1819, a situação passara dos limites. Segundo os autos do processo, Felício a encontrou "resvalada aos pés de um fauno", o coronel Francisco de Assis Lorena, junto à bica de Santa Luzia, e por isso a esfaqueou duas vezes, na barriga e na coxa. O marido foi preso, Domitila sobreviveu; e assim teve início a disputa pela guarda dos filhos. Foi nessa situação que d. Pedro a encontrou em agosto de 1822.

Alguns historiadores afirmam que o primeiro contato foi feito nas terras alugadas pelo coronel Canto e Melo, próximo ao cemitério dos Aflitos. Para outros, aconteceu em uma propriedade localizada a uns trezentos metros do riacho Ipiranga, próximo de onde hoje se encontra o Museu da Independência, no lugar chamado então de Moinhos. Essa chácara era utilizada pelo militar como lugar de pouso para tropas de mula que faziam a ligação entre Santos e São Paulo. Há quem afirme que o encontro aconteceu na véspera da entrada triunfal na cidade. Ainda em Penha de França, à noite, o príncipe teria sido sorrateiramente levado por Chalaça e pelo alferes Canto e Melo ao encontro de Domitila – no largo de São Francisco ou na várzea do Carmo, na chácara do Ferrão, nas imediações da cidade.

Segundo o próprio d. Pedro, em carta escrita em 1825 a Domitila, o encontro aconteceu em 29 de agosto de 1822, dia em que "comecei ter amizade com mecê", revelou. Em outra missiva, lembra da data como o dia em que "nos ajuntamos pela primeira vez". Domitila foi mais detalhista. Em carta a uma amiga, a marquesa de Cantagalo, confidenciou que vira o príncipe regente pela primeira vez às nove horas e os recebeu reservadamente às 22h, "numa noite chuvosa, cortada de relâmpagos", em seus aposentos na rua do

Ouvidor.[87] Além disso, nada mais se sabe com certeza. Conforme o relato de um familiar e ajudante de ordens do príncipe, o contato inicial teria ocorrido quando Domitila passeava por São Paulo numa liteira, carregada por dois escravizados, e cruzou com d. Pedro acompanhado da guarda de honra. A julgar pela data, dia em que ocorreram as eleições para o governo paulista, a cidade deveria estar movimentada. Encantado com a jovem, o príncipe apeou do cavalo, cumprimentou-a e, elogiando-lhe a beleza, entabulou um diálogo, o que fez com que os negros baixassem a cadeira. A certa altura da conversa, d. Pedro tomou uma das pontas da liteira e a levantou, ordenando que um oficial erguesse a outra. "Como Vossa Alteza é forte", teria dito Domitila. O passeio seguiu, com a guarda carregando a cadeira e d. Pedro em gracejos com a dama paulista. "Nunca mais Vossa Excelência terá negrinhos como estes", teria prometido o jovem regente.[88]

Até que ponto o encontro foi mesmo fortuito é hoje impossível saber. Como dito anteriormente, o irmão de Domitila acompanhava d. Pedro desde o Rio de Janeiro e o pai já estivera com o príncipe antes da chegada a São Paulo. Não é difícil imaginar que o primeiro contato dos dois tenha ocorrido por iniciativa do alferes Canto e Melo ou da própria Domitila, empenhada em conseguir resolver a pendência do divórcio e da guarda dos filhos. De qualquer modo, iniciava-se ali um dos romances mais tórridos e escandalosos da história política brasileira. Em poucos meses, d. Pedro instalaria Domitila e quase toda a família Canto e Melo na corte, cobrindo-a de títulos nobiliárquicos e cargos importantes. Nos sete anos seguintes, ela receberia o título de marquesa de Santos, seria nomeada dama camarista da imperatriz e teria cinco filhos do imperador, entre eles a duquesa de Goiás e a condessa de Iguaçu – enquanto mantinham um caso, o incorrigível d. Pedro ainda teria um filho com a irmã de Domitila, Maria Benedita, baronesa de Sorocaba. Diplomatas estrangeiros deixaram registrado os poderes da "favorita", que na opinião do barão de Mareschal era o "canal de promoções" de quem pretendia favores junto ao Bragança. O agente sueco afirmou que a paixão de d. Pedro por Domitila era "tão extrema que ele parece fechar os olhos sobre tudo o que exigem a moral e os bons costumes". Em cartas íntimas, d. Pedro assinava como "Demonão", "amante luxurioso" ou "Fogo Foguinho"; chamava a amante de "Titília" e fazia menções à "tua coisa". "Hoje estou muito pachola", registrou ele em 1825, "sinto não lhe poder ir aos cofres; mas amanhã será". "Estou munido bastante", escreveu quase à mesma época. Em outra oportunidade, já em 1827, disparou essa: "Filha, manda-me dizer como passaste e se já há novidade; eu passei bem de saúde pois tua coisa apenas deitou lagrimazinha de água branca". Em certa ocasião, enviou como lembrança à amante um punhado de pelos pubianos; em outra, agradeceu os leques que recebeu de presente, mas exigiu "um leque mais ordinário que é mais próprio para homem".[89]

Em 1822, porém, os dias de glória de Domitila e dos Canto e Melo ainda estavam longe. Na primeira semana de setembro, tendo resolvido os problemas políticos em São Paulo, d. Pedro partiu para Santos, cidade natal de José Bonifácio, seu mais influente conselheiro e poderoso ministro. No Rio, as últimas notícias de Lisboa causavam agitação, e uma reunião entre a princesa regente, ministros e conselheiros de Estado estava por decidir o destino do Brasil.

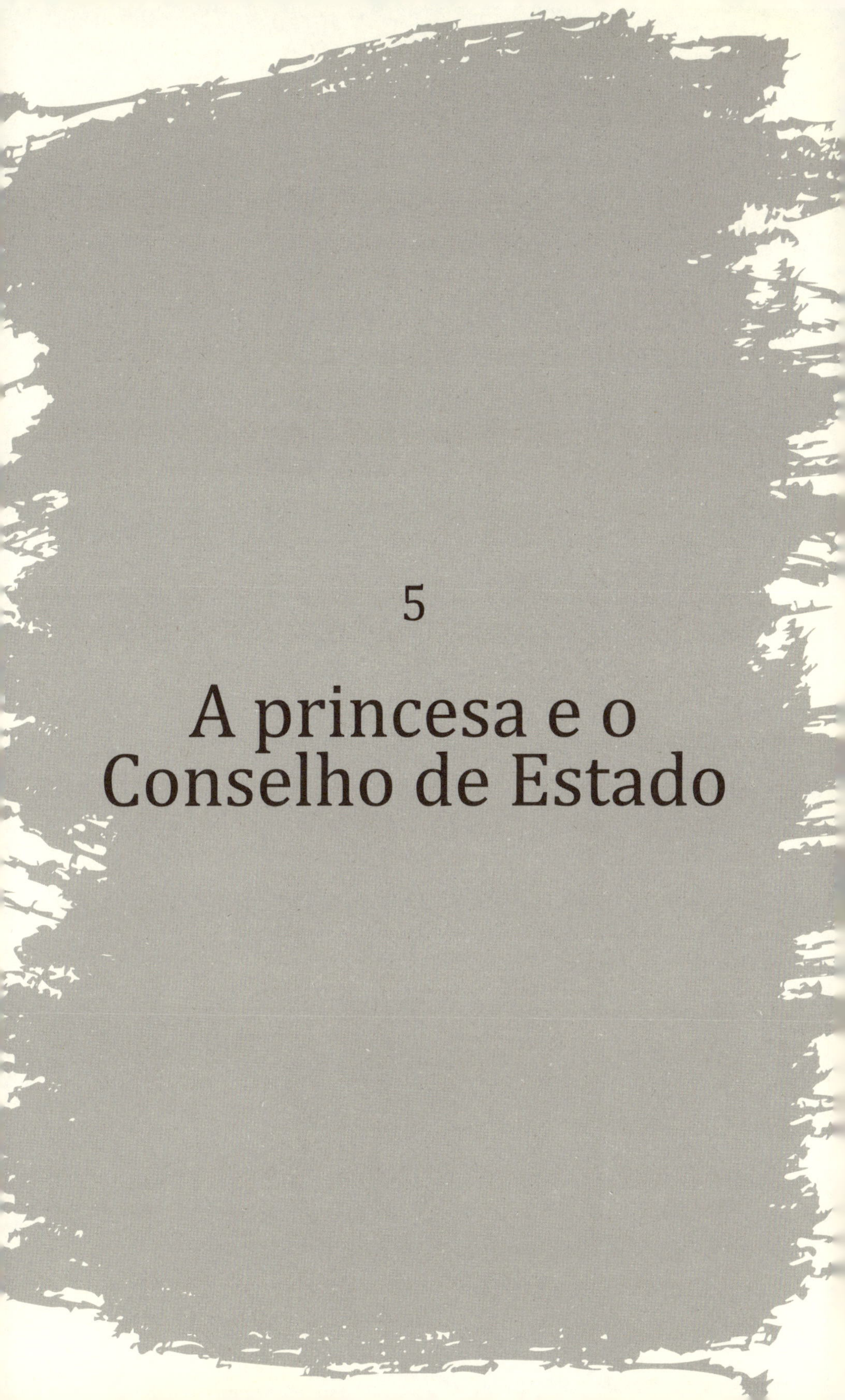

5

A princesa e o Conselho de Estado

RIO DE JANEIRO, quarta-feira, 28 de agosto de 1822. O dia na capital brasileira não foi movimentado. Pelo menos não comercialmente. Apenas três navios cruzaram a barra e atracaram no trapiche do porto. Dois deles eram brasileiros, o *Santa Boa Hora*, vindo de Santa Catarina, e o *Santa Graça de Maria*, de Iguape, São Paulo. No porão, as pequenas embarcações carregavam mais de mil sacas de arroz e quase 5 mil alqueires de farinha, feijão e goma. O terceiro e maior navio era português. O *Três Corações*, do capitão João José da Silva Campos, havia partido de Lisboa no começo de julho e chegava ao Brasil depois de 57 dias no mar. Transportava 224 moios de sal, 133 pipas de vinho e vinagre, 27 tonéis contendo sardinhas, quatorze barris de vinho, seis de paios e presuntos e um de azeite.[90] Além de mercadorias, a embarcação trouxe uma "carga" bem mais importante para o futuro dos brasileiros. Informações extraoficiais, possivelmente enviadas pelos deputados brasileiros presentes nas Cortes, davam conta das decisões tomadas em relação ao Brasil no mês de junho. A petição enviada para que os constituintes lusos repensassem a divisão do reino em províncias ultramarinas autônomas fora negada. A partir daquele momento, as unidades brasileiras responderiam diretamente a Lisboa. Os membros do governo, incluindo José Bonifácio, deveriam ser presos e enviados a Portugal. Todas as decisões de d. Pedro deveriam ser anuladas, incluindo a criação do Conselho de Procuradores. Os deputados portugueses ameaçavam prender o príncipe regente no palácio de Queluz – D. Pedro era chamado pelos deputados de "desgraçado e miserável rapazinho" e "mancebo ambicioso e alucinado". Como se isso não bastasse, havia rumores de que tropas portuguesas se preparavam para embarcar com destino ao Brasil – seriam mais ou menos sete mil homens, ou "quatorze batalhões", conforme d. Leopoldina deixou registrado em carta.

As resoluções, aprovadas pelo "Soberano Congresso" em 1º de julho, só chegariam oficialmente ao Rio de Janeiro em outro navio, o *Quatro de Abril*, em 21 de setembro – e, com o desenrolar dos acontecimentos, já não teriam valor algum. Tão logo o *Três Corações* aportou no cais, as notícias se espalharam rapidamente. Quando d. Leopoldina ficou a par das deliberações de além-mar, tomou a pena e escreveu para o "muito querido e muito amado esposo" dando-lhe "notícias desagradáveis". Em duas missivas – datadas de 28 e 29 de agosto –, a princesa regente explica a d. Pedro a situação de "alvoroço" em que se encontra o Rio, anexa uma carta escrita pelos ministros e pede seu retorno imediato de São Paulo – que é "muito longe para dar prontas". "É preciso que volte com a maior brevidade", implora, aflita. "Esteja persuadido que não é o amor, amizade que me faz desejar, mais do que nunca sua pronta presença, mas sim as críticas circunstâncias em que se acha o amado Brasil; só sua presença, muita energia e rigor podem salvá-lo da ruína".[91] Por uma ironia do destino, alheio ao que ocorria na capital do país, naquele mesmo dia 29 d. Pedro estava na cama de Domitila, aquela que viria a ser a maior desgraça da vida de d. Leopoldina.

D. LEOPOLDINA, A PRINCESA REGENTE

D. Pedro José Joaquim Vito de Meneses Coutinho, o marquês de Marialva, não poderia ter encontrado esposa melhor para d. Pedro. A arquiduquesa austríaca d. Leopoldina Carolina Josefa de Habsburgo-Lorena, nascida em 1797 no palácio de Schönbrunn, era filha de Francisco I, então imperador da Áustria e, até 1806, soberano do Sacro Império Romano da Nação Alemã como Francisco II. A família de d. Leopoldina, os Habsburgo, era a mais importante Casa Real europeia; governava o Sacro Império desde o final do século XV e havia conseguido fazer correr seu sangue nas veias de quase todas as monarquias europeias. Seu poder e influência eram incomparáveis. Naquele momento de guerras e revoluções, o acordo, realizado em 1816, era um ganho considerável para a política exterior de d. João VI.

Além da representação e da importância internacional, a união contribuiria muito com d. Pedro no campo pessoal. Ao contrário do príncipe português, d. Leopoldina desfrutou de excelente educação, desenvolvendo uma cultura ímpar até mesmo para os padrões da nobreza. Era poliglota – além do alemão materno, era fluente em francês, expressava-se bem em inglês e conhecia várias outras línguas europeias –, amava as ciências naturais, especialmente a botânica e a mineralogia, adorava geometria, física, filologia e numismática. Criada em Viena, foi preparada para ser uma imperatriz. Passou os primeiros anos da vida com mestres particulares, participando de refeições formais, passeios, exercícios de leitura, visita a museus, teatros, óperas e exposições, treinando recepção a visitantes e representantes estrangeiros.

O casamento, por procuração, aconteceu em maio de 1817, em Viena, sendo formalizado em novembro, já no Rio de Janeiro. Uma entusiasmada d. Leopoldina, apaixonada pelo reino exótico que se oferecera como sua nova pátria, aprendeu português e informou-se sobre a história, a geografia e a economia brasileiras. Segundo Alexandrine de la Boutetière, baronesa Fisson du Montet, que a conheceu na corte austríaca, d. Leopoldina era muito estudiosa e instruída, e "a ideia de um mundo novo, com uma natureza tão diferente à da Europa, sorriu-lhe ao extremo".[92] Anos depois, ao encontrá-la no Rio de Janeiro, a inglesa Maria Graham confidenciou ao diário sobre o "prazer em encontrar uma mulher tão bem cultivada e bem-educada, sob todos os pontos de vista uma mulher amável e respeitável".[93]

Romântica e idealista, na preparação para viagem demonstrou que tinha interesses mais elevados do que a política: trouxe na bagagem "42 caixas da altura de um homem", que além do enxoval, continham uma biblioteca e uma coleção de minerais. Leitora e escritora compulsiva, manteve uma média de quase cinquenta cartas escritas anualmente, tendo enviado junto de sua correspondência para Viena todos os tipos de espécies de animais, sementes, plantas exóticas e pedras raras do Brasil. Despachou para a Áustria tantas caixas com material coletado, que seu pai foi obrigado a criar um museu especial para as peças enviadas.

O entusiasmo com o país e o deslumbramento com as riquezas naturais da nova pátria, porém, logo se desfizeram. Criada e educada dentro de uma tradição conservadora e religiosa, profundamente católica, d. Leopoldina horrorizou-se com a moralidade da corte portuguesa, principalmente com a conduta da sogra, d. Carlota Joaquina, cujo comportamento era, segundo ela, "vergonhoso". Sobre as cunhadas, revelou em cartas à Europa que tinham "péssima educação e com dez anos já sabem tudo como gente casada". Com as traições e indiscrições do marido e as decepções com muitos costumes nacionais – "um país onde tudo é dirigido pela vilania", escreveria ela em 1819; "uma verdadeira selva", afirmaria em 1824, a alegria daria lugar à tristeza e à depressão.[94] D. Leopoldina preferia os estudos, os livros e sua coleção de minerais mais do que qualquer outra coisa, mas havia casado com um femeeiro incorrigível, homem de pouca cultura e conhecimento. Segundo ela mesma confidenciou em carta à irmã Maria Luísa, d. Pedro era teimoso e grosseiro. Além do que, para sua infelicidade, a julgar pela opinião quase unânime de seus contemporâneos, a princesa não tinha beleza, elegância e pouca aptidão para assuntos sexuais. A baronesa Montet escreveu que d. Leopoldina "definitivamente não era bonita; era baixa, tinha o rosto muito pálido e cabelos loiros claros. Ela não tinha graça e postura; tendo sempre aversão a corpete e cinta, seu torso era roliço, sem curvas. Além disso, tinha os lábios salientes dos austríacos e os olhos azuis muito belos, mas uma fisionomia séria e pouco amável".[95] Seu modo de vestir também não contribuía muito para sua aparência. No Brasil, a princesa era constantemente vista com polainas, túnicas, um vestido de amazona, botas de montar e esporas de prata, "que lhe tiravam toda graça e atrativos pelos quais uma mulher domina e se torna irresistível", escreveu Theodor Bösche. O barão de Mareschal falou em "um vestido que nada tem de feminino", e o tenente da Guarda Real de Berlim, Theodor von Leithold, instalado no Rio de Janeiro em 1819, ironizou o fato de a princesa estar "sempre com seu chapéu redondo de homem".[96]

De qualquer forma, os brasileiros a idolatravam. O povo a amava, observou tenente Julius Mansfeldt, "por toda a parte aonde ela ia, era recebida com júbilo". O amor dos brasileiros pela pequena mulher de sotaque estrangeiro se devia a seu caráter voluntarioso e íntegro, preocupada com os pobres e escravizados e com as mazelas do país, em meio a uma corte perdulária e corrupta. Em uma carta à irmã, datada de 1821, d. Leopoldina revelou o quanto acreditava em Deus e o quanto era consciente de sua posição: "O Onipresente conduz tudo para o nosso bem e o bem comum vem antes do desejo individual, por mais intenso que seja".[97] Inteligente e observadora, a princesa anteviu o desenlace entre Brasil e Portugal bem antes da maioria dos brasileiros. Em carta ao pai, em junho de 1821, após o juramento da Constituição portuguesa, revelou a preocupação de que d. Pedro fosse liberal em demasia: "Meu amado esposo, infelizmente, ama os novos princípios e não dá exemplo de firmeza, como seria preciso, pois atemorizar é o único meio de pôr termo à rebelião".

Daí em diante, porém – provavelmente influenciada por José Bonifácio e pelo barão de Mareschal, legítimo representante da antiga ordem europeia –, d. Leopoldina amadureceu a ideia de um rompimento com Portugal, baseada na construção de um novo império na América. Em dezembro daquele ano, escrevendo a seu secretário Georg von Schaeffer, afirmou que d. Pedro estava "mais bem disposto com relação aos brasileiros do que eu esperava, mas não tão positivamente decidido quanto eu desejaria". Um dia antes do Dia do Fico, em janeiro de 1822, já decidida e completamente envolvida pela causa brasileira, ainda temia o despreparo de d. Pedro para governar e decidir o futuro da nação: "O príncipe está decidido, mas não tanto quanto eu desejaria".[98]

Depois do Sete de Setembro, em parte por influência de d. Leopoldina, o Brasil seria formalmente reconhecido no exterior como nação independente. Vasconcelos de Drumond escreveu que d. Leopoldina "cooperou vivamente dentro e fora do país para a independência do Brasil", e por isso o país deve "à sua memória gratidão eterna".[99] Sua contribuição na construção do novo país, porém, não iria longe. Dois anos após o Grito do Ipiranga, a situação dela era constrangedora e humilhante. Em carta à irmã, afirmava "não encontrar aqui ninguém em que possa confiar, nem mesmo em meu esposo, porque, para meu grande sofrimento, não me inspira mais respeito".[100] O caso escandaloso de d. Pedro com Domitila abalou profundamente d. Leopoldina, que passou a sofrer de depressão e melancolia. Quando ela adoeceu gravemente em dezembro de 1826, o povo carioca percorreu as ruas ao redor da Capela Imperial e o caminho que conduzia ao palácio de São Cristóvão, em procissões que pareciam não ter fim. Sua morte foi anunciada em meio à consternação geral, produzindo tristeza e aflição entre a população pobre e escravizada. Nas palavras de Carl Seidler, "caíra o mais lindo diamante da coroa brasileira". O barão de Mareschal escreveu que a morte de d. Leopoldina, então com 29 anos de idade, foi "chorada sincera e unanimemente". Ainda conforme o velho representante austríaco, "sem estertor, suas feições de modo algum eram alteradas, e ela parecia ter adormecido pacificamente". O palacete da marquesa de Santos, causa maior dos sofrimentos e humilhações de d. Leopoldina, foi apedrejado. Na Inglaterra, quando Maria Graham soube através do barão e de outras cartas, escreveu que todos lamentavam a perda "da mais gentil das senhoras, a mais benigna e amável das princesas".[101]

A SESSÃO DO CONSELHO

Mas o ano de 1826 ainda estava distante. Em 1822, a situação política era delicada. Ou o Brasil acatava as ordens vindas de Lisboa ou haveria guerra com Portugal. Ciente da gravidade da situação e provavelmente influenciada por José Bonifácio, d. Leopoldina convocou o Conselho de Estado, criado em fevereiro daquele ano. Como determinado por d. Pedro antes da viagem a São Paulo, a princesa regente presidiria as reuniões em seu lugar. A princesa não era afeita à política. Sabemos por carta enviada a d. Pedro que ela participava das audiências com "muita vergonha" e, em certa ocasião, achou desgastante despachar por seis horas seguidas – "fiquei mais cansada do que se fosse a São Paulo a cavalo".[102]

As reuniões do Conselho eram realizadas no palácio de São Cristóvão, na Quinta da Boa Vista, assim chamada devido à visão que se tinha, mesmo que a distância, da baía de Guanabara. A propriedade pertencera aos jesuítas, mas no século XVIII, com a expulsão da Ordem do Brasil, o terreno fora arrematado para plantação de cana-de-açúcar. Em 1803, o comerciante e traficante de escravizados Elias Antônio Lopes comprou a área e reformou o antigo prédio dos religiosos. Quando a família real chegou ao Brasil, Lopes presenteou d. João com a propriedade, e a "Chácara do Elias" passou a residência do rei e de seus filhos, entre eles d. Pedro. O comerciante, claro, recebeu o título de fidalgo da Casa Real e a comenda da Ordem de Cristo, além de outros benefícios. A edificação foi melhorada e ampliada entre 1816 e 1821 sob a coordenação do engenheiro inglês John Johnston. O antigo terreno alagadiço foi aterrado, ganhando pavimentação e um portão monumental na entrada, presente do duque de Northunberland. Luccock assegurou que o palácio tinha grande conforto, embora "acanhado e pretensioso, mal construído e pessimamente mobiliado". Maria Graham afirmou que o prédio tinha o "estilo mourisco", pintado de amarelo, com molduras brancas. No pátio em torno, plantações de salgueiros chorões.[103] A própria d. Leopoldina, em missiva ao pai, em 1818, escreve sobre as magníficas paisagens de São Cristóvão, que a permitiam caminhar muito: "Diariamente faço novas descobertas nos reinos animal, vegetal e mineral". Em outra carta, dessa vez à irmã Maria Luísa, a princesa deixou uma descrição detalhada do palácio. "Minha casa tem seis aposentos, com magnífica vista, de um lado para a serra e muitos povoados, do outro para o mar, ilhas e a Serra dos Órgãos", começou ela. A área reservada ao casal, no segundo piso, tinha uma sala de bilhar; uma de música, com três pianos, poltronas e mesas de pau-brasil; uma toalete, revestida de musselina branca e tafetá de seda rosa; e uma sala de festas com quatro colunas trabalhadas em bronze, vasos de alabastro e porcelana, poltronas e mesas de madeira com figuras entalhadas, tapeçarias de veludo branco, cortinas de musselina com franjas douradas. O quarto possuía uma cama com cortinado bordado em ouro, e uma colcha de renda de Bruxelas, dois armários com relógios e vasos, escrivaninha e canapé de musselina. Havia ainda oito quartos para criados e damas de companhia, um espaço para os cães de caça, e um gabinete, "bastante necessário e onde está tudo o que é de prata".[104]

Presidida por d. Leopoldina, a 13ª reunião do Conselho teve início por volta das dez horas da manhã e só se encerrou a uma hora da tarde da segunda-feira, 2 de setembro de 1822. Além de José Bonifácio, ministro do Reino e dos Negócios Estrangeiros, estavam presentes, entre outros, o procurador Lucas José Obes, deputado eleito para as Cortes por Montevidéu; o brigadeiro Luiz Pereira da Nóbrega, ministro da Guerra; o almirante Manoel Antônio Farinha, ministro da Marinha; Caetano Pinto de Miranda Montenegro, ministro da Justiça; Martim Francisco, ministro da Fazenda; José Clemente Pereira, presidente do Senado da Câmara do Rio de Janeiro; o diplomata Antônio Menezes Vasconcelos de Drummond; e Gonçalves Ledo, secretário do Conselho e um dos líderes da maçonaria fluminense.

Drummond, que havia recém-chegado de Salvador, estava desde as oito horas da manhã reunido com José Bonifácio, pondo o ministro a par da situação das tropas portuguesas na Bahia. Segundo o relato do conselheiro registrado pelo historiador Melo Morais, não houve discussão ou dúvida alguma sobre o caminho a ser tomado. Depois de "ter feito uma exposição verbal do estado em que se achavam os negócios públicos", José Bonifácio conclui dizendo "ter chegado a hora de acabar com aquele estado de contemporizar com os seus inimigos". A insistência de Portugal em "seus nefastos projetos" de fazer o Brasil voltar à "miserável condição de colônia, sem nexo nem metro de governo", significava que não havia alternativa que não o rompimento, total e imediato. O idoso Andrada propôs, então, que se escrevesse a d. Pedro e que o príncipe proclamasse a independência "sem perda de tempo", ao que a princesa, "que se achava muito entusiasmada em favor da causa do Brasil", sancionou com muito prazer as deliberações do Conselho".[105] Desse modo, o Conselho preparou o despacho, José Bonifácio escreveu uma carta e d. Leopoldina preparou a sua. Conforme relataria em suas memórias, ao comentar com José Bonifácio sobre o "espírito e a sagacidade", o "gênio e a experiência" da princesa, em uma situação tão delicada e importante, Drummond teria ouvido do velho cientista: "Meu amigo, ela deveria ser ele!"[106]

A carta de d. Leopoldina não deixava dúvidas quanto à claridade com que via a situação e a posição a ser tomada. Era uma súplica:

> Pedro, o Brasil está como um vulcão. Até no paço há revolucionários. Até oficiais das tropas são revolucionários. As Cortes portuguesas ordenam vossa partida imediata, ameaçam-vos e humilham-vos. O Conselho de Estado aconselha-vos para ficar. Meu coração de mulher e de esposa prevê desgraças, se partirmos agora para Lisboa. Sabemos bem o que têm sofrido nossos pais. [...] O Brasil será em vossas mãos um grande país. O Brasil vos quer para seu monarca. Com vosso apoio ou sem o vosso apoio ele fará a sua separação. O pomo está maduro, colhei-o já, senão apodrece. Ainda é tempo de ouvirdes o conselho de um sábio que conheceu todas as cortes da Europa, que, além de vosso ministro fiel, é o maior de vossos amigos. Ouvi o conselho do vosso ministro, se não quiserdes ouvir o de vossa amiga. Pedro, o momento é o mais importante de vossa vida. Já

> disseste o que iríeis fazer em São Paulo. Fazei, pois. Terei o apoio do Brasil inteiro e, contra a vontade do povo brasileiro, os soldados portugueses nada podem fazer.[107]

A carta do "sábio" e "ministro fiel", seguia a mesma linha:

> Senhor, as Cortes ordenaram a minha prisão por minha obediência a Vossa Alteza. E no seu pódio imenso de perseguição atingiram também aquele que preza em o servir com lealdade e dedicação do mais fiel amigo e súdito. O momento não comporta mais delongas [...] Ministro fiel, que arrisquei tudo por minha pátria e pelo meu príncipe, servo obedientíssimo do senhor d. João VI, que as Cortes têm na sua detestável coação, eu como ministro, aconselho Vossa Alteza que fique e faça do Brasil um reino feliz, separado de Portugal, que é hoje escravo das Cortes despóticas. Senhor, ninguém mais que sua esposa deseja a sua felicidade, e ela lhe diz em carta que com esta será entregue que Vossa Alteza deve ficar e fazer a felicidade do povo brasileiro, que o deseja como seu soberano, sem ligações e obediências às despóticas Cortes portuguesas que querem a escravidão do Brasil e a humilhação de seu adorado príncipe regente. Fique, é o que todos pedem ao magnânimo príncipe que é Vossa Alteza, para o orgulho e felicidade do Brasil. E se não ficar, correrão rios de sangue nesta grande e nobre terra, tão querida do seu real pai, que já não governa em Portugal pela opressão das Cortes, nesta terra que tanto estima a Vossa Alteza e a quem tanto Vossa Alteza estima.[108]

Nenhuma das cartas jamais foi encontrada. Sabe-se delas hoje por meio de publicações do início do século XX, provavelmente copiadas de um folhetim raro datado de 1826. Da correspondência original remetida por d. Leopoldina a d. Pedro nesse período, somente as datadas de 28 e 29 de agosto chegaram até nós. São as cartas em que a princesa informa o esposo sobre a chegada de notícias de Lisboa e pede o retorno imediato do príncipe ao Rio de Janeiro.[109] Da carta do ministro restou apenas uma minuta, não datada, mas provavelmente escrita no dia anterior à sessão do Conselho, e cujo conteúdo soa semelhante à correspondência que teria sido despachada a São Paulo:

> Senhor! O dado está lançado e de Portugal não temos a esperar senão escravidão e horrores. Venha Vossa Alteza Real quanto antes e decida-se; porque irresoluções e medidas de água morna, à vista desse contrário que não nos poupa, para nada servem, e um momento perdido é uma desgraça.[110]

Curiosamente, a ata da sessão do Conselho, lavrada pelo secretário Gonçalves Ledo, é curta e nada informa sobre ruptura ou separação, nem sobre cartas escritas ao príncipe em São Paulo. O único nome mencionado no documento é o de Obes, que falou sobre as notícias vindas de Portugal e os insultos recebidos por d. Pedro, "Nosso Augusto Defensor". Segundo o texto do maior inimigo político de José Bonifácio – o que pode explicar a omissão de detalhes importantes sobre a reunião –, ficou resolvido "que se tomassem todas as medidas necessárias de segurança". Cada conselheiro deveria apresentar planos para a próxima sessão, e aos representantes militares cabia organizar um projeto de campanha.[111] De qualquer forma, de posse dos despachos e correspondências, por volta das quatro horas da tarde, Paulo Bregaro partiu para São Paulo. Ao porteiro da Câmara e oficial da secretaria do Conselho Supremo Militar, José Bonifácio teria dito: "Se não arrebentar uma dúzia de cavalos no caminho nunca mais será correio: veja o que faz".[112] Bregaro faria a viagem em incríveis cinco dias.

Enquanto o estafeta seguia a estrada para a capital paulista, o Brasil se preparou para uma ruptura total. Em 3 de setembro, o ministro da Fazenda, Martim Francisco, proibiu a saída "de qualquer moeda" do Brasil. Ao mesmo tempo, José Bonifácio decretava o bloqueio de embarcações de mantimentos e "apetrechos de guerra" que se dirigiam para Salvador, na Bahia, ou para qualquer outra praça onde estivessem tropas portuguesas estacionadas.[113] Agora era preciso esperar por d. Pedro.

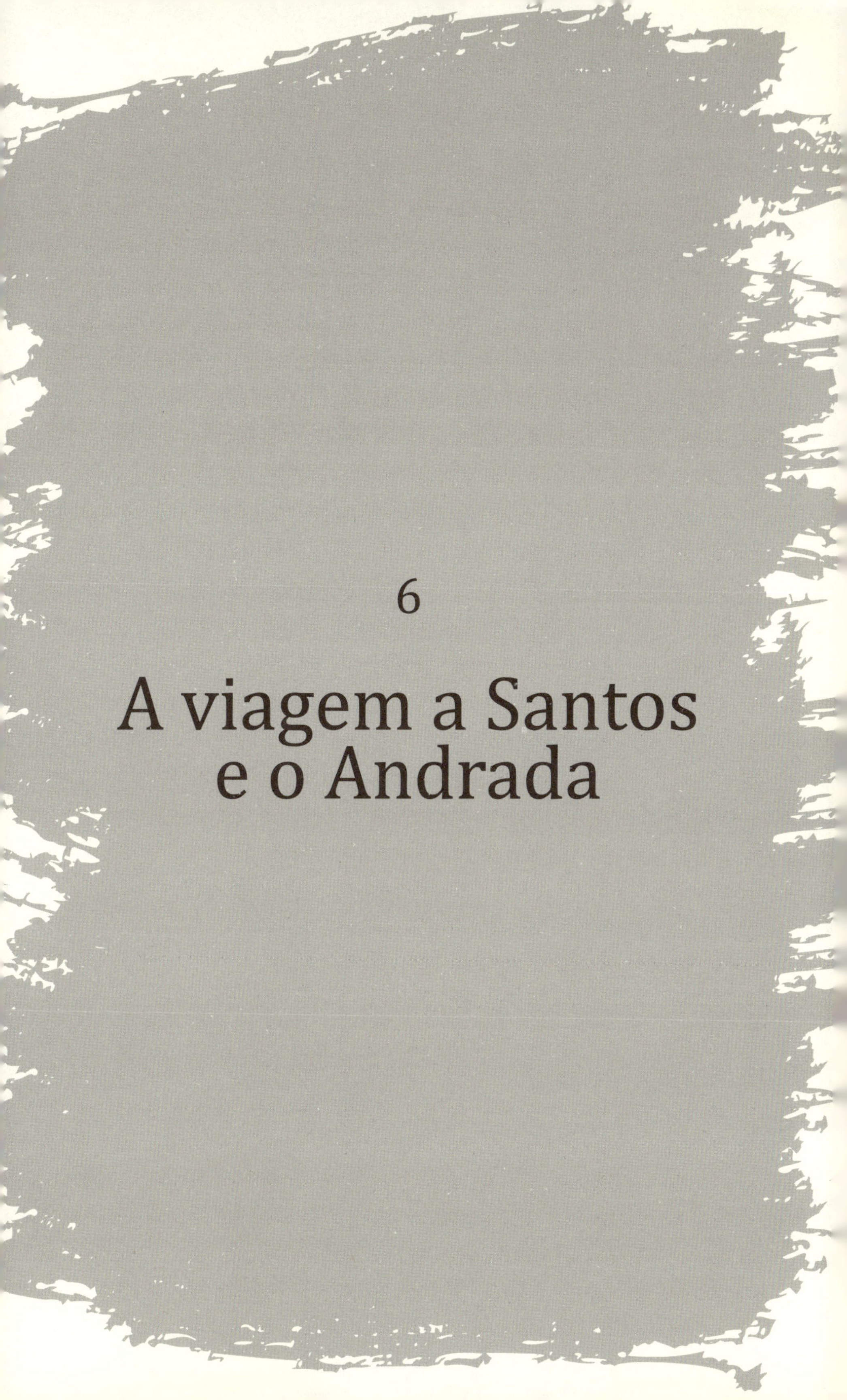

6

A viagem a Santos e o Andrada

SANTOS, quinta-feira, 5 de setembro de 1822.[114] Eram quatro horas da tarde quando d. Pedro desembarcou no largo da Alfândega, próximo ao local onde hoje está o Museu do Café, em frente à atual rua Frei Gaspar. Viera de lancha desde Cubatão e estava acompanhado do capitão-mor da vila de Santos, João Batista da Silva Passos, e pelo novo governador da praça, o tenente-coronel Joaquim Aranha Barreto de Camargo – que fora nomeado pelo próprio d. Pedro enquanto este estava em Mogi das Cruzes, na viagem até São Paulo. Ainda estavam presentes o capitão de milícias Antônio Martins dos Santos e diversas outras autoridades locais. Em um cais de madeira improvisado, construídos por ordens da Câmara, estava o procurador Domingos José Rodrigues, que portava o estandarte municipal, e o padre José Antônio da Silva Barbosa, além de integrantes do clero, comandantes militares e populares. Debaixo de um pálio, que era guiado pelo juiz de fora e presidente da Câmara João Batista Vieira Barbosa, os vereadores Antônio José Viana e Francisco Xavier da Costa Aguiar Filho e mais alguns nomes importantes, d. Pedro seguiu em direção à igreja Matriz – edificação do século XVIII e que viria a ser demolida em 1908.

Ao som de salvas de artilharia e vivas da população, d. Pedro percorreu a travessa da Alfândega Velha (hoje rua Frei Gaspar), a Direita (Quinze de Novembro) e a Meridional (praça da República). Segundo o historiador Francisco Martins dos Santos, as ruas por onde passou o cortejo estavam repletas de flores e "apinhadas de povo". "Das sacadas pendiam colchas de seda e brocado", escreveu ele, "e senhoras e moças atiravam, sobre o pálio, braçadas de rosas e outras flores". Trajando uniformes de gala, as tropas da guarnição santista formaram duas alas, perfiladas desde o largo do Carmo até a igreja Matriz, onde hoje estão localizadas as praças da República e Antônio Teles. Na igreja, o tradicional *Te Deum* em ação de graças. Dessa vez, d. Pedro não ficaria hospedado em casa particular, instalando-se depois da recepção no palácio dos Governadores, na ala esquerda do antigo Colégio dos Jesuítas, prédio que seria destruído em 1877 e onde hoje está o prédio da Alfândega. A tradição afirma que na primeira noite em Santos, o príncipe regente teria sido recebido com um banquete na casa da família Andrada, na rua Direita, mas nada ficou registrado.

No dia seguinte, d. Pedro visitou a fortaleza da Barra e o forte do Itapema, entre outras fortificações e guarnições militares (provavelmente a Casa do Trem Bélico). Segundo a tradição da família de Joaquim Floriano de Toledo, então empregado na secretaria do Governo Provincial, durante a visita a Santos d. Pedro teria levado uma bofetada de uma "jovem mulata de grande beleza", com quem cruzara numa ruela e de quem roubara um beijo. A escrava desvencilhou-se do atrevido e fugiu. O príncipe, porém, não se deu por vencido, procurou saber quem era a bela e, tomando conhecimento de que era uma mucama, propriedade de uma ilustre família paulista, tentou comprá-la, sem sucesso.[115]

Não há informações oficiais sobre onde d. Pedro passou a segunda noite na cidade, mas a oralidade afirma que o exagero no jantar teria ocasionado a disenteria que o afetou – a carne de porco teria sido a vilã. Há quem acredite que o caso tenha ocorrido na casa do capitão-mor e que o mal-estar tenha sido provocado pela água. O barão de Pindamonhangaba, que estava com d. Pedro na ocasião, nada informa em relato que fez a Alexandre José de Melo Morais, quatro décadas mais tarde, em abril de 1862, menciona apenas que "já havíamos subido a serra quando d. Pedro queixou-se de ligeiras cólicas intestinais". Padre Belchior também não entra em detalhes, limitando-se a escrever que o príncipe estava "agoniado por uma disenteria, com dores que apanhara em Santos". Francisco de Castro Canto e Melo, que legou à história o relato mais detalhado da viagem, desde o palácio de São Cristóvão, no Rio, não estava em Santos. Por ordem de d. Pedro, de Cubatão ele retornara a São Paulo com ofícios que deveriam ser enviados a José Bonifácio.[116] Seja como for, na manhã do dia 7 de setembro, devido aos problemas intestinais, por nada mais ter a fazer em Santos ou por estar à espera de informações importantes que deveriam chegar do Rio – senão pelos três motivos juntos –, d. Pedro resolveu encurtar a visita à terra de José Bonifácio e retornar a São Paulo.

SANTOS

A ilha de São Vicente, no litoral paulista, era conhecida dos portugueses desde os primeiros anos do século XVI. Era habitada por náufragos e desterrados muitos anos antes da chegada da expedição do capitão-donatário Martim Afonso de Souza, a quem se atribui a fundação da vila de São Vicente, a primeira do Brasil, em 1532. A povoação ficava próxima ao morro dos Barbosas e da ilha Porchat, enquanto o ancoradouro se localizava no Porto das Naus, próximo à atual Ponte Pênsil, no Mar Pequeno. Quando Brás Cubas, que viria a ser capitão-mor da capitania, chegou à região para tomar posse de suas terras anos mais tarde, o porto foi transferido para Enguaguaçu, no lado oriental da ilha – o nome indígena, do tupi "enseada maior" ou "baía grande", fazia referência ao lagamar junto à foz do rio Bertioga.[117] Ali, nas proximidades do outeiro de Santa Catarina, hoje no Centro Histórico, surgiu o povoado de Santos. Em 1543, Brás Cubas fundou a Santa Casa de Misericórdia de Todos os Santos – o segundo hospital do Brasil e o mais antigo em atividade –, e três anos mais tarde o lugarejo foi elevado à categoria de vila, embora tivesse como edificações apenas uma capela dedicada a Santa Catarina, o hospital, o prédio da Câmara e da cadeia e algumas poucas casas.

Ao longo dos séculos, Santos cresceu, superou São Vicente e passou a ser disputada pelos europeus como ponto de partida para ocupação do interior do continente, mas continuou bastante diminuta e relegada a ficar em segundo plano à medida que a vila de Piratininga se desenvolvia no planalto. Em 1822, a cidade era um pouco menor do que São Paulo. Tinha uma população de 4.781 habitantes, dos quais pouco mais de 2 mil eram escravizados. Conforme os dados do censo daquele ano, 1.344 moradores eram brancos, sendo o restante da população contabilizado entre indivíduos pretos, mulatos, cafuzos e caboclos. Havia então menos de setecentos "fogos", e o núcleo urbano contava com não mais do que vinte ruas e praças, algumas sem nome, iluminadas por 69 lampiões de "azeite de peixe". Saint-Hilaire afirma que a cidade nada tinha de notável, "suas casas são feitas de pedra, seus muros têm pouca largura", e os principais edifícios públicos eram os conventos dos franciscanos, dos carmelitas e dos beneditinos, além da Câmara, da Santa Casa, da alfândega e do Arsenal da Marinha. O viajante Edmund Pink, que visitou Santos em maio de 1823, deixou registrado em seu diário que a cidade era "considerável, mal construída, mas muito vantajosamente localizada".[118] Quanto à ocupação dos moradores, a vila contava com dezessete carpinteiros, nove ferreiros, quatro calafates, dois marceneiros, um tanoeiro e três pintores; 77 negociantes, 76 lavradores e cinco ourives; dez alfaiates e 24 sapateiros; doze religiosos, um boticário, dois barbeiros, dois médicos, dois músicos, seis donos de botequins e oito padeiros, além de um tabelião, um pasteleiro e um professor de primeiras letras.[119]

A comunicação com São Paulo se dava por um antigo caminho, o chamado "Caminho do Mar", que era conhecido dos indígenas guaianases e tupiniquins e pelos mamelucos, filhos de europeus estabelecidos na terra no começo do século XVI, liderados pelo cacique Tibiriçá e o célebre João Ramalho. Ao longo do tempo, a trilha foi melhorada pelo padre Anchieta e pelos jesuítas – por isso também era conhecida como "Caminho do Padre José" –, mas a subida da serra de Paranapiacaba continuou sendo uma travessia extremamente difícil. O caminho era muito íngreme, estreito, cheio de armadilhas e precipícios, o que explica por que a cidade de São Paulo permaneceu protegida de qualquer ataque vindo do litoral ao longo da história. A situação foi alterada no governo de Bernardo José de Lorena, que chegou à província em 1788 acompanhado de um grupo de engenheiros militares, entre os quais o capitão João da Costa Ferreira. Sobre a administração de Lorena, a cidade de São Paulo recebeu calçamento em muitas ruas, foi construído o quartel da Legião de Voluntários Reais, o chafariz da praça da Misericórdia, a ponte do Lorena e o Teatro da Ópera. Mas nada comparado ao maior projeto do capitão Ferreira, a construção da estrada que ligava a capital ao porto de Santos, concluída em 1792. O novo traçado, em ziguezague, amenizava a dificuldade da subida e desviava de terrenos alagados, riachos e cascatas que cortam a região, evitando o risco de inundações e deslizamentos. Além do mais, toda a estrada era calçada, com pedras vindas provavelmente das pedreiras de São Bento, em Santos. Ao longo do caminho, os trechos mais perigosos, com precipícios, continham parapeitos, também construídos em pedra. Canais foram instalados para escoar a água das chuvas e árvores foram cortadas a fim de que o sol pudesse secar o piso e evitar acúmulo de água. O caminho, que era quase todo feito a pé e podia levar mais de um dia de viagem, agora podia ser percorrido no lombo das mulas entre duas e três horas. Em homenagem ao governador, a estrada foi apelidada de "Calçada do Lorena".[120]

A obra surpreendeu o viajante inglês John Mawe, em passagem pelo Brasil em 1807. A estrada continuava estreita, mas era bem pavimentada. "Poucas obras públicas, mesmo na Europa, lhes são superiores", escreveu ele, "e, se considerarmos que a região por onde passa é quase desabitada, encarecendo, portanto, muito mais o trabalho, não encontraremos nenhuma, em país algum, tão perfeita, tendo em vista tais desvantagens". Daniel Parish Kidder, pastor metodista e naturalista estadunidense, missionário da American Bible Society, que usou a estrada para chegar a São Paulo em 1839, contou "180 curvas em todo o seu sinuoso percurso", e aproximadamente sete quilômetros "de sólida pavimentação".[121]

Spix e Martius confirmaram a opinião geral de que o terreno era "extraordinariamente escarpado e apenas transitável por mulas".[122] Sobre as bestas – como as mulas eram chamadas –, animal híbrido resultado do cruzamento de uma égua com um burro, Mawe escreveu que eram "tão ligeiras na ascensão quanto em terreno plano" e que "excediam, em muito, aos cavalos". Pela Calçada do Lorena, centenas de mulas desciam para Santos carregadas com a produção agrícola ou subiam a serra transportando ferro, cobre, cerâmicas, sal e manufaturas vindas da Europa. Em geral, os carregamentos eram transportados por tropas de quarenta a sessenta animais e não menos do que três ou quatro cargas chegavam à capital ou ao porto diariamente. O trânsito era tão intenso que os viajantes frequentemente cruzavam com os muares, cujo som dos tropeiros era ouvido de longe, como se "proviessem das nuvens" – o som característico provinha da "madrinha", enfeitada com penachos de plumas, conchas ou prata, e do cincerro que era dependurado no pescoço e cujo barulho servia de guia para tropa. E como o caminho era estreito, a passagem, segundo Mawe, tornava-se desagradável e muitas vezes perigosa. Um viajante descuidado estava sujeito a ser lançado numa floresta inacessível, em quedas de trinta metros. Ao longo do trajeto, uma vez ou outra se via ao longe, lá embaixo, a vasta planície alagada, coberta de rios e mangues, e o porto de Santos, descortinado por entre a mata. Do alto da serra, quase setecentos metros acima do nível do mar, era possível ver o oceano – e por isso o nome indígena: Paranapiacaba em tupi significa "Lugar de onde se vê o mar". Mawe observou que o Atlântico parecia banhar o sopé das montanhas e a perspectiva era "sublime". Kidder resumiu o panorama: "esplêndida vista da terra e do mar".

Mas a Calçada do Lorena era apenas parte do trajeto. A viagem entre São Paulo e Santos era realizada em três etapas. A primeira percorria o planalto, passando pelos ribeirões do Ipiranga e dos Meninos, próximo à atual São Bernardo do Campo, e pelos rios Grande, Pequeno, das Pedras e Zanzalá, onde havia pequenos povoados, já na serra de Paranapiacaba. A segunda descia a escarpada estrada da serra do Mar; e a terceira era realizada por via fluvial.[123] Depois de descer a Calçada do Lorena, chegava-se ao porto de Perequê, em Cubatão, e dali seguia-se a jornada via rio Cubatão até um atracadouro nas proximidades do atual Museu do Café, em Santos. Foi este o trajeto percorrido por d. Pedro em 5 de setembro de 1822.

O ANDRADA

A ideia de que a visita de d. Pedro a Santos estaria ligada ao desejo do príncipe em proclamar a independência na cidade (ou no estado natal) de seu "amigo fiel" e sábio conselheiro foi divulgada por Vasconcelos de Drummond, amigo muito próximo a José Bonifácio, e acabou se arraigando à tradição popular. Mas essa teoria não encontra fundamentação documental. Sequer há evidências sólidas de que d. Pedro tenha mesmo estado na casa da família Andrada, pois nenhum dos quatro relatos existentes sobre aqueles dias faz referência a isso. O pesquisador Francisco Martins dos Santos, que se debruçou sobre a história santista, não menciona membros da família Andrada na recepção do dia 5, como também as atas da Câmara não revelam detalhes sobre a chegada do príncipe e os motivos de sua visita.[124] Se a intenção de d. Pedro fosse uma proclamação formal em homenagem a José Bonifácio, não haveria hora melhor para fazê-la do que na chegada à cidade, no momento da entrada triunfal e acolhida das autoridades, o que não ocorreu. Além do que, em carta enviada ao príncipe, José Bonifácio pede o retorno de d. Pedro ao Rio – "Venha Vossa Alteza Real quanto antes". Ou seja, tudo o que precisava ser decidido necessitava ser feito na capital.

Ainda que a ideia não fosse a opção de um ato formal de separação com Portugal, é certo que d. Pedro foi ao litoral paulista para agradar ao seu ministro. Em 1822, d. Pedro estava sob forte influência do quase sexagenário cientista, que havia retornado ao Brasil havia três anos. José Bonifácio de Andrada e Silva nascera em Santos, em 1763. Era a segunda geração da família Andrada a nascer no Brasil. O avô, imigrante, descendia de uma antiga família portuguesa do Minho e de Trás-os-Montes, sendo parente de nobres e fidalgos. O pai era coronel do Estado-Maior dos Dragões Auxiliares e um próspero mercador – a segunda fortuna de Santos. Os tios paternos eram homens de ciência ou ligados à igreja, que haviam estudado na Europa e grande influência tiveram sobre José Bonifácio. Sobre ele e os irmãos, dois deles ligados à política nacional: Martim

Retrato de d. Pedro I, por Simplício Rodrigues de Sá, o.s.t., 1826. Acervo Museu Imperial/Ibram/Minc, Petrópolis.

D. Leopoldina (1797-1826), entusiasta da Independência, por Josef Kreutzinger, o.s.t., 1817. Acervo Kunsthistorisches Museum, Viena.

José Bonifácio (1763-1838), o principal conselheiro de d. Pedro e o articulista da Independência, em litografia de S. A. Sisson, 1861. Acervo Biblioteca Guita e José Mindlin, Brasiliana Digital, São Paulo.

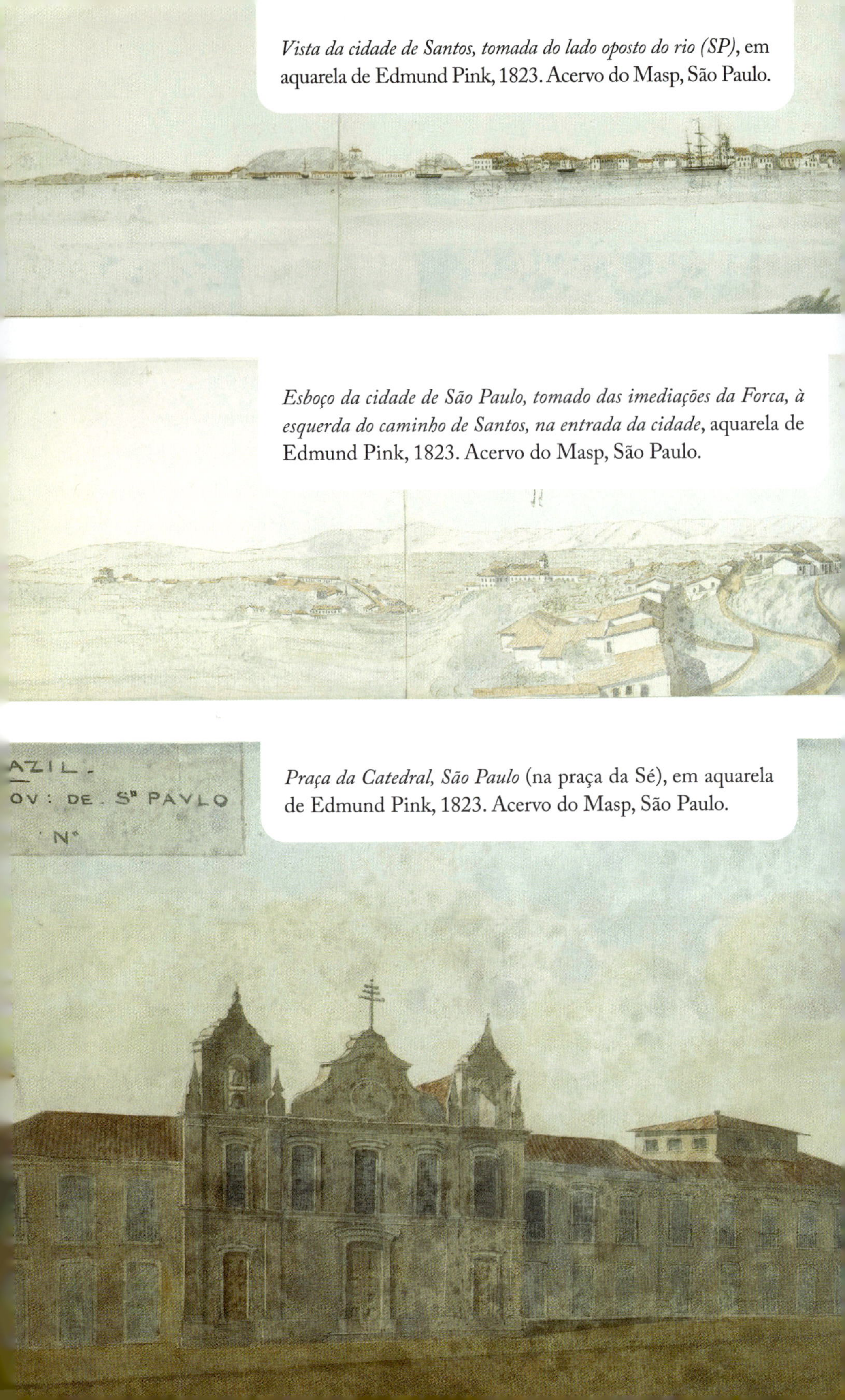

Vista da cidade de Santos, tomada do lado oposto do rio (SP), em aquarela de Edmund Pink, 1823. Acervo do Masp, São Paulo.

Esboço da cidade de São Paulo, tomado das imediações da Forca, à esquerda do caminho de Santos, na entrada da cidade, aquarela de Edmund Pink, 1823. Acervo do Masp, São Paulo.

Praça da Catedral, São Paulo (na praça da Sé), em aquarela de Edmund Pink, 1823. Acervo do Masp, São Paulo.

Sketch of the City of S. Pauls -
taken from near the Spot - where
the Gallows is erected - to the left
of the Road from Santos - as
you enter the City —
E. Pink — 1823.
No 8

- SKETCH - OF - THE - CATHEDRAL
- CATHEDRAL - SQVAR
- ST PAVLS
- E. PINK -
- 1823

São Paulo, vista da entrada leste da cidade, por Arnaud Julien Pallière, o.s.t., 1821. Acervo Coleção Brasiliana Itaú, São Paulo.

A Calçada do Lorena, o sinuoso caminho que ligava São Paulo a Santos, o.s.t. de Oscar Pereira da Silva com base em nanquim de Hercule Florence, de 1825. Acervo Museu Paulista/ USP, São Paulo.

A cidade que d. Pedro encontrou em setembro de 1822. *Panorama da Cidade de São Paulo*, por Arnaud Julien Pallière, o.s.t., 1821. Acervo Coleção Brasiliana Itaú.

A Calçada do Lorena, estrada construída no final do século XVIII, caminho pelo qual d. Pedro retornou de Santos no Sete de Setembro. A Calçada hoje está dentro do parque Caminhos do Mar. Foto: Rodrigo Trespach.

Proclamação da Independência, por François-René Moreaux, o.s.t, 1844.
ervo Museu Imperial/Ibram/Minc, Petrópolis.

O Paço Real (depois Imperial), onde d. Pedro foi aclamado após decidir permanecer no Brasil, no Dia do Fico. Foto: Rodrigo Trespach.

Coroação de d. Pedro I, em 1º de dezembro de 1822. Jean--Baptiste Debret, o.s.t., 1826. Acervo Museu Nacional de Belas Artes/ Ibram/Minc, Rio de Janeiro.

Independência ou Morte, o famoso quadro de Pedro Américo, o.s.t., 1888. Acervo Museu Paulista/USP, São Paulo.

Francisco Ribeiro de Andrada (secretário do Interior paulista, ministro da Fazenda de d. Pedro e deputado da Constituinte de 1823) e Antônio Carlos Ribeiro de Andrada Machado e Silva (envolvido com a Revolução Pernambucana e também deputado constituinte, sendo o redator do anteprojeto constitucional).

Depois de estudar em Santos e São Paulo, José Bonifácio partiu para Coimbra, Portugal, onde concluiu os estudos jurídicos em 1787. Um ano mais tarde, formou-se em Filosofia e Matemática. Em 1789, foi aceito como membro da Academia de Ciências de Lisboa e, no ano seguinte, com patrocínio da rainha d. Maria I – avó de d. Pedro –, iniciou uma viagem de dez anos e três meses de estudos e pesquisas mineralógicas, jornada que lhe proporcionaria percorrer boa parte do continente europeu e manter contato com personalidades ilustres da ciência da época, como Alexander von Humboldt, visitar minas e jazidas em vários países e escrever e publicar artigos em vários jornais científicos, das mais respeitadas associações e sociedades das quais se tornara sócio correspondente. Logo se tornou reconhecido internacionalmente como um dos maiores geólogos do mundo. De volta a Coimbra, atuou como professor universitário e intendente-geral das Minas e Metais do Reino. Após a invasão napoleônica, lutou contra as tropas francesas como tenente-coronel do Corpo Voluntário Acadêmico. Permaneceu em Portugal mesmo após o Congresso de Viena, só conseguindo permissão para retornar ao Brasil em 1819, chegando à terra natal justamente quando o país começava a entrar em ebulição política. Erudito reconhecido mundialmente, embora conservador e monarquista numa época em que o poder real começava a eclipsar, José Bonifácio foi um dos principais líderes políticos do país nos anos 1820, o artífice do rompimento gradual com Portugal e da consolidação da unidade brasileira – o que lhe valeria o epíteto de "Patriarca da Independência". O comerciante inglês John Armitage, autor de um dos primeiros livros sobre a história do Brasil, publicado em Londres em 1836, afirmou que José Bonifácio e seus irmãos eram arbitrários quando revestidos de poder e faciosos quando destituídos de autoridade, mas que sua honestidade era incontestavelmente ilibada. Na opinião do inglês, foi José Bonifácio o condutor da "revolução efetuada com muito pequeno sacrifício, e quase sem derramamento de sangue".[125]

Segundo o relato do barão Wilhelm Ludwig von Eschwege, José Bonifácio tinha "algo de aristocrático", salvo por suas vestes, muito modestas. Vestia jaqueta marrom bastante surrada, calças compridas e um chapéu redondo com um laço vermelho e azul. Na terceira botoeira da casaca, exibia a condecoração da Ordem de Cristo; no bolso direito, uma espécie de corneta com fita vermelha, distintivo da magistratura. Eschwege o descreveu como um sujeito de baixa estatura, rosto pequeno e redondo, de nariz curvo, olhos pretos, mas brilhantes, cabelos negros, finos e lisos, presos numa trança escondida na gola da jaqueta. Maria Graham viu um "homem pequeno, de rosto magro e pálido".[126] A fisionomia acanhada e o modo de se vestir simples contrastavam com uma personalidade vaidosa, orgulhosa e até petulante, assim como o gosto pela literatura clássica e a poesia se misturavam ao prazer pela boemia e aventuras amorosas. Durante a excursão científica patrocinada pela rainha, ainda que casado com Emília O'Leary, manteve casos amorosos e contato íntimo com belas mulheres e prostitutas francesas – casos registrados em seus cadernos de anotações, em meio às despesas diárias e notas científicas. Em cartas trocadas com o amigo Vasconcelos de Drumond, não deixava de comentar sobre a "fruta francesa".[127] Ao contrário de d. Pedro, porém, José Bonifácio se destacava mais pelas qualidades do que pelos defeitos. Saint-Hilaire o definiu como um homem notável por seu talento e patriotismo. O mercenário Schlichthorst afirmou que o santista era "cientificamente culto e extraordinariamente talentoso".[128] "Doutíssimo cidadão" de "atividade mental incansável", registrou Maria Graham. "Havia estudado todas as ciências que imaginou poderiam ser vantajosas aos interesses locais e comerciais do Brasil", observou a ela.[129]

Além das capacidades cientificas e literárias, José Bonifácio revelou-se um excelente estadista. E assim como na vida acadêmica, legou ao país farto material com suas ideias políticas. Em *Ideias sobre a organização política do Brasil, quer como reino unido a Portugal, quer como Estado independente* e *Lembranças e apontamentos do governo provisório de São Paulo a seus deputados*, escritos em 1821, expôs ideias e detalhou projetos bem à frente de seu tempo: desejava incorporar os indígenas à sociedade, abolir a escravidão no prazo de cinco anos – "todo cidadão que ousar propor o restabelecimento da escravidão e da nobreza será imediatamente deportado" – e extinguir os latifúndios.[130] Levantou a bandeira da criação de uma universidade com faculdades de Filosofia, Medicina e Direito, de escolas em todas as cidades e vilas brasileiras e de uma capital no interior do país – ideia discutida com Georg von Schaeffer, o secretário de d. Leopoldina. Defendeu ainda o fomento à imigração, o desenvolvimento dos meios de transporte entre as capitais (o que fora intencionalmente negligenciado durante o período colonial) e da exploração das minas. Ainda sobre "o comércio de carne humana", que segundo ele, era um câncer que corroía as entranhas do Brasil, escreveu em *Representação à Assembleia Geral Constituinte e Legislativa* que já era tempo de acabar "com os últimos vestígios da escravidão entre nós, para que venhamos a formar em poucas gerações uma nação homogênea, sem o que nunca seremos verdadeiramente livres, responsáveis e felizes". Sem sucesso, conclamou os legisladores do país a "acordar do sono amortecido", em que há séculos o Brasil jazia. Escreveu que não poderia haver indústria e agricultura florescente com base na mão de obra escravizada, pois "mostra a experiência e a razão que a riqueza só reina onde impera a liberdade é a justiça, e não onde mora o cativeiro e a corrupção".[131]

A fama de homem sábio o precedia. Em janeiro de 1822, ao chegar a Sepetiba, porto próximo à fazenda de Santa Cruz, vindo de São Paulo, era ansiosamente aguardado por d. Leopoldina. Tão logo chegou ao Rio e assumiu o ministério do Reino e dos Negócios Estrangeiros, tratou de organizar o Conselho de Procuradores (criado oficialmente em fevereiro) e decretar uma série de medidas a fim de moralizar o serviço público e equilibrar o tesouro nacional: proibiu a acumulação de empregos públicos (exigindo prova de assiduidade para pagamento dos salários), descreveu regras para emissão de passaportes para estrangeiros e o despacho de navios. Organizou até mesmo o cerimonial e o uso de uniforme no corpo diplomático. Em maio daquele ano, designou o primeiro agente consular para Buenos Aires e, em agosto, enviou os primeiros agentes diplomáticos para a Europa e América do Norte. Com d. Pedro a caminho de São Paulo, em 21 de agosto, José Bonifácio enviou Schaeffer para Viena. O médico, major e amigo da princesa partiu com instruções diplomáticas do ministro e cartas do príncipe regente e de d. Leopoldina para o imperador austríaco. Os documentos reafirmavam a lealdade do Rio de Janeiro para com o princípio de legalidade, deixando claro que os brasileiros tinham o desejo de manter os laços com a "grande família portuguesa", não querendo uma "separação absoluta de Portugal". Argumentavam, no entanto, que d. João VI "se achava cativo e prisioneiro em Lisboa, à mercê dos facciosos das Cortes", e que d. Pedro se encontrava no poder conforme vontade dos "povos do Brasil". Schaeffer também recebera instruções secretas: precisava encontrar agricultores, artesãos e soldados nos países de língua alemã para criação de colônias "rural-militares" num projeto de imigração que, entre outras coisas, visava militares que garantissem a independência do Brasil.[132] A ideia de rompimento – lentamente construída desde o Dia do Fico, tendo passado pela convocação de uma assembleia constituinte em junho e pelos manifestos de agosto – estava chegando a seu estágio final. Era preciso um basta. Um grito.

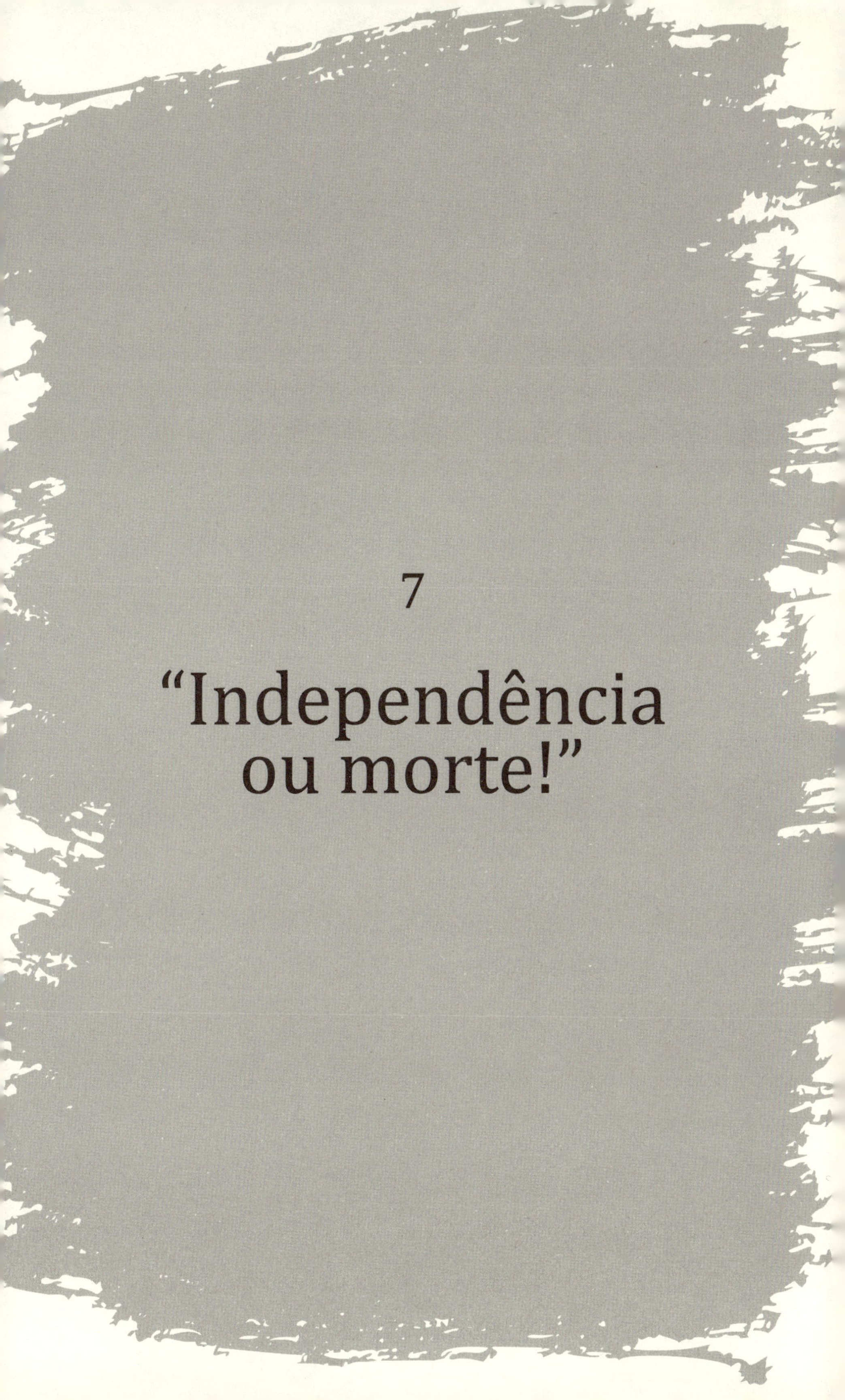

7

“Independência ou morte!”

RIACHO IPIRANGA, São Paulo, sábado, 7 de setembro de 1822. D. Pedro venceu a íngreme serra de Paranapiacaba acompanhado de uma pequena comitiva liderada pelos oficiais Antônio da Gama Lobo e Marcondes de Oliveira Melo. Além do padre Belchior e do onipresente Chalaça, seguiam a caravana os criados do Paço e os soldados da guarda de honra. Conforme descrição de Gama Lobo, o príncipe vestia um traje militar de viagem: uma "fardeta azul, simples, calça da mesma cor, grandes botas envernizadas, chapéu armado e espada".[133] Como era de costume, d. Pedro vinha montado em uma mula – uma "égua possante gateada", segundo Gama Lobo; uma "besta baia gateada" nas palavras do coronel Marcondes; "uma bela besta baia", conforme relato do padre Belchior. O famoso "zaino que arfa orgulhoso", retratado e eternizado no quadro de Pedro Américo, exposto no Museu do Ipiranga, é descrição de Paulo Antônio do Vale, que publicou uma narrativa sobre aquele dia mais de duas décadas depois do ocorrido.[134]

De acordo com os relatos de seus companheiros de viagem, d. Pedro estava em uma situação nada cômoda para quem precisava montar e andar por estradas escarpadas. Tomado por "cólicas intestinais", segundo Gama Lobo, ou por "uma disenteria", na definição de Marcondes e do padre Belchior, o príncipe era obrigado "a todo momento a apear-se e prover-se". Por isso, a caravana estava dispersa, uns mais a frente, outros um pouco atrás. Conforme Marcondes revelaria mais tarde, na chegada ao planalto, d. Pedro recebeu "ofícios ou cartas" de um correio que vinha de São Paulo. A parada fez com que a guarda de honra que vinha logo atrás alcançasse o regente num lugar conhecido como Meninos, junto a um ribeirão de mesmo nome (hoje bairro de Rudge Ramos, em São Bernardo do Campo).[135] Devido à situação em que se encontrava, após ler a correspondência, d. Pedro ordenou que a guarda seguisse adiante e o esperasse próximo à entrada de São Paulo. Assim, Gama Lobo seguiu com seus homens e alcançou uma "casinhola" na margem esquerda do riacho Ipiranga – mais tarde, a rude edificação, uma pequena venda, ficaria conhecida como "Casa do Grito".[136] Ali próximo, junto a uma pequena ponte, a "Ponte Velha", desmontou e ordenou que o jovem Miguel de Godoy ficasse de vigia, à espera da chegada de d. Pedro. Afluente do rio Tamanduateí, o Ipiranga era chamado na época "Ypiranga" ou, por vezes, de "Piranga". Em tupi-guarani significa "rio vermelho", alusão às águas barrentas do córrego.

Enquanto a guarda acampava e esperava o príncipe, o alferes Francisco de Castro Canto e Melo percorria o sentido contrário. Vindo de São Paulo, procurava por d. Pedro para informar-lhe que o major Antônio Ramos Cordeiro estava na capital paulista com despachos vindos do Rio. Canto e Melo encontrou o príncipe e parte da comitiva em Moinhos (ou Moinho Velho), a pouco mais de dois quilômetros do alto da colina do Ipiranga. Com a notícia trazida pelo alferes, d. Pedro acelerou a marcha, mas não precisou andar muito. Por volta das quatro horas da tarde, a pouco mais de quatro quilômetros de São Paulo, topou com o major Cordeiro, que vinha acompanhado de Paulo Bregaro, o estafeta que deixara o Rio de Janeiro na tarde do dia 2 de setembro.

Na mala, Bregaro trazia cartas de José Bonifácio, d. Leopoldina, além de notícias sobre as decisões das Cortes, correspondência de d. João VI e de Henry Chamberlain, diplomata britânico tratado pelo padre Belchior como "agente secreto do príncipe". Obrigado "a quebrar o corpo" à margem do riacho Ipiranga devido à disenteria, d. Pedro solicitou ao padre Belchior que lesse as mensagens. As informações que chegavam de Lisboa não eram nada boas para as pretensões do Brasil, e as cartas do ministro e da princesa encorajavam o regente ao rompimento. "O pomo está maduro, colhei-o já, senão apodrece", escreveu d. Leopoldina. "Faça do Brasil um reino feliz, separado de Portugal", implorou José Bonifácio. Tremendo de raiva com as determinações portuguesas, d. Pedro arrancou a correspondência das mãos do religioso, amassou os papeis, pisou em cima e os deixou na relva. Recompondo-se do mal-estar causado pela diarreia, abotoou a fardeta e se virou para o vigário mineiro, perguntando: "E agora, padre Belchior?". A resposta foi concisa e objetiva: "Se Vossa Alteza não se faz rei do Brasil, será prisioneiro das Cortes e talvez deserdado por elas. Não há outro caminho senão a independência e a separação". Conforme o relato do próprio Belchior, o príncipe deu alguns passos em silêncio, observado pelo major Cordeiro, Bregaro, o criado João Carlota e outros, até romper no meio da estrada:

> Padre Belchior, eles o querem, terão sua conta. As Cortes me perseguem, chamam-me com desprezo de *Rapazinho e Brasileiro*. Pois verão agora quanto vale o *Rapazinho*. De hoje em diante estão quebradas as nossas relações; nada mais quero do governo português e proclamo o Brasil para sempre separado de Portugal!

Entusiasmados, os que estavam a sua volta o aclamaram: "Viva a liberdade! Viva o Brasil separado! Viva d. Pedro!". Ato contínuo, o príncipe ordenou que Canto e Melo informasse à guarda que estava mais adiante, no sopé da colina, às margens do riacho do Ipiranga, que ele acabara de fazer a independência. Mas, segundo Gama

Lobo deixou registrado, d. Pedro partiu tão depressa "que chegou antes que alguns soldados tivessem tido tempo de alcançar as selas".

Dirigindo-se à guarda de honra, que apressadamente se dispôs em semicírculo, o príncipe explicou que as Cortes desejavam escravizar o Brasil e que por isso as relações entre os dois reinos estavam quebradas – "Nenhum laço nos une mais!", afirmou. E atirando no chão a fita que trazia no chapéu, com as cores azul e branca, símbolo da nação portuguesa, d. Pedro ordenou que sua guarda fizesse o mesmo: "Laços fora, soldados! Viva a independência, a liberdade e a separação do Brasil!". Ficando em pé nos estribos da montaria, o jovem Bragança desembainhou a espada e bradou: "Pelo meu sangue, pela minha honra, pelo meu Deus, juro fazer a liberdade do Brasil". O compromisso foi assumido por todos os presentes. Ainda reteso sobre a mula, d. Pedro guardou a espada na bainha e declarou: "Brasileiros, a nossa divisa de hoje em diante será independência ou morte!". Conforme relato do coronel Marcondes, a "cena" se deu por volta das 16h30. Quanto à "divisa", Independência ou Morte era o nome de uma das palestras do Apostolado dirigido por José Bonifácio, onde três meses antes o regente adotara o pseudônimo "Rômulo" e fora elevado à categoria de "arconte-rei".

D. Pedro não perdeu mais tempo e dirigiu-se imediatamente para São Paulo. Entrou na cidade pela rua da Glória, passou pelo largo de São Gonçalo (onde estava localizada a Câmara de Vereadores), alcançou a rua Santa Teresa, chegando à rua do Carmo e daí ao palácio dos Governadores. Ali, segundo relatos de Canto e Melo e do padre Belchior, o príncipe fez à mão o molde da divisa "Independência ou Morte" e ordenou que fosse levado até o ourives Lessa, na rua da Boa Vista, para que fosse confeccionado um dístico em ouro – o molde tinha o formato em "v"; em uma das "pernas" aparecia a palavra "Independência", e na outra, "ou Morte".

Os paulistas mal tiveram tempo para preparar uma recepção. Os sinos das igrejas anunciaram a chegada de d. Pedro assim que ele cruzou como um raio as ruas da cidade. Mas ninguém tomou ciência do que acontecia até que o alferes Canto e Melo, que vinha atrás de d. Pedro, desse a notícia do que ocorrera no Ipiranga ao coronel Antônio da Silva Prado, que tendo ouvido o alarme correra a uma das janelas de seu solar. Junto do desembargador João de Medeiros Gomes e do padre Ildefonso Xavier Ferreira, Silva Prado se encarregou de espalhar a notícia. À medida que o povo tomava conhecimento do "grito do Ipiranga", saía às ruas para saudar o príncipe. Enquanto isso, o ourives Lessa concluía o trabalho solicitado e d. Pedro compunha os acordes do que ficaria conhecido como *Hino da Independência* – a letra do então chamado *Hino Constitucional Brasiliense* foi escrita por Evaristo da Veiga, nove dias mais tarde, no Rio de Janeiro.[137]

À noite, d. Pedro compareceu ao Teatro da Ópera. Estava usando no braço o dístico "Independência ou Morte", preso por um laço verde e amarelo. O auriverde estava em toda parte, no braço dos homens, no cabelo das mulheres, nas paredes do teatro e no palco. O teatro ficava em frente ao palácio dos Governadores, mas como quase tudo na São Paulo do começo do século XIX, pouco tinha de luxo. Segundo o relato de Saint-Hilaire, "nada, no seu exterior, indicava a finalidade a que se destinava". Era apenas "uma casa pequena, de um só pavimento, baixa, estreita, sem ornamentos, pintada de vermelho e com amplas janelas de postigos pretos".[138] O interior era mais bem cuidado, embora o espaço fosse exíguo: três fileiras com 28 camarotes e uma plateia com 350 lugares eram iluminados por um "belo lustre" e vários lampiões.

Às 21h30, Canto e Melo abriu as cortinas do camarote número onze, onde d. Pedro estava instalado para assistir à peça *O convidado de pedra*, da companhia Zacheli. Avistado pela plateia, o príncipe foi saudado com vivas à independência. Conforme depoimento deixado pelo escritor Paulo Antônio do Vale, que estava no teatro e escreveu sobre aquela noite mais de três décadas depois, em 1854, a certa altura, durante as manifestações de júbilo, declamações de poemas e cantos em uníssono, o padre Ildefonso teria exclamado "Viva o rei do Brasil!", sendo "aplaudido com estrondo". O alferes Tomás de Aquino e Castro, por sua vez, recitou um poema, que terminava com os seguintes versos: "Será logo o Brasil mais que foi Roma/ Sendo Pedro seu primeiro imperador!". Por fim, foi tocado o hino composto por d. Pedro naquela mesma noite.[139]

No dia seguinte, d. Pedro escreveu uma proclamação aos paulistas e a fez circular em vários pontos da cidade. Explicou os motivos que o levaram ao ato realizado no Ipiranga – culpou o "sistema maquiavélico, desorganizador e facioso das Cortes" –, afirmou sentir-se triste em deixar São Paulo, mas precisava voltar ao Rio, ouvir os conselheiros e providenciar as medidas necessárias para uma guerra que se avizinhava. Na segunda-feira, dia 9, deixou o governo paulista a cargo de um triunvirato – o idoso bispo d. Mateus, o ouvidor local José Correa Pacheco e o comandante militar de Santos marechal Cândido Xavier de Almeida e Souza – e partiu para o Rio de Janeiro.

Quase três anos mais tarde, em 3 de setembro de 1825, a Câmara Municipal de São Paulo demarcou o lugar onde d. Pedro havia proclamado a Independência, exatos "184 braças" desde a Ponte Velha – aproximadamente 405 metros. Em 12 de outubro daquele ano, porém, uma pedra comemorativa foi colocada a 640 metros do Ipiranga, erro que pode ser atribuído à troca (proposital ou não) da baliza demarcatória fixada em setembro pelos vereadores. Em 1872, os restos da pedra foram encontrados e a ideia de construção de um monumento foi retomada. Em 1884, o arquiteto e engenheiro italiano Tommaso Gaudenzio Bezzi foi contratado para realizar o projeto de um edifício-monumento. As obras começaram no ano seguinte e só foram concluídas em 1890. Cinco anos depois, um museu de ciências naturais foi instalado no lugar, embrião do Museu Paulista, mais conhecido hoje como Museu do Ipiranga.[140]

RIO DE JANEIRO, SETEMBRO DE 1822

Depois de uma "velocíssima viagem" de cinco dias, d. Pedro chegou ao Rio na noite do dia 14 de setembro, algumas horas antes de sua comitiva.[141] No dia seguinte, apesar do frio e da chuva, muitas das pessoas mais próximas do príncipe correram ao palácio de São Cristóvão. Entre as primeiras a chegar estava o conselheiro Drumond. Depois de conversar em separado com d. Pedro, ele recebeu da imperatriz "um laço de seda verde", o símbolo da Independência, que na falta de outro material, segundo Drumond, d. Leopoldina teria retirado das fitas de seu travesseiro.[142] Ao sair às ruas, por onde passou d. Pedro foi ovacionado. À noite, no Teatro São João, o casal real foi recebido com o "mais vivo entusiasmo", com aplausos e o balançar dos lenços. Segundo o jornal *O Espelho*, com alvoroço e "uma alegria tão difícil de experimentar, como difícil de expressar".

O Teatro São João servira de palco para importantes celebrações desde que fora inaugurado em 1813. Ali, d. João VI jurou a Constituição portuguesa e o próprio d. Pedro festejara o Dia do Fico. O teatro, porém, estava longe da grandiosidade dos espaços europeus. O viajante John Luccock o descreveu como "uma casa miserável, apertada e sombria". Com capacidade para 1.200 pessoas, o formato da estrutura interna era oval, com o palco em uma extremidade e a cabine real em outro. A plateia era dividida em duas partes, e os camarotes, em quatro ordens. O mobiliário era "elegante" e o recinto era iluminado com candeeiros e candelabros de estanho. Mas o exigente Luccock reclamou da qualidade da orquestra, das peças apresentadas e dos atores. Não foi o único, o prussiano Theodor von Leithold teve igual impressão.[143]

Na manhã do dia 16, às nove horas, quando d. Pedro chegou ao Paço para os despachos do dia, foi novamente saudado com o mesmo entusiasmo. Logo, no entanto, a euforia com o que acontecera no Ipiranga deu lugar à seriedade que o momento exigia. Era necessário organizar o novo país. Por meio de José Bonifácio, três decretos foram emitidos no dia 18. O primeiro concedia anistia geral aos inimigos políticos e determinava que todos que adotassem a causa brasileira deveriam usar no braço esquerdo um distintivo com uma flor verde e a legenda "Independência ou Morte" inscrita em um ângulo dourado. Os outros dois decretos determinavam as cores que deveriam ser usadas no novo tope nacional, a criação do brasão de armas e da bandeira brasileira. Com a legenda "Independência ou Morte", as cores do tope seriam o "verde de primavera e o amarelo de ouro", o que daria origem ao mito propagado muito tempo depois, durante a República, sobre o "verde das matas" e o "amarelo do ouro brasileiro" usados na bandeira.[144] Em verdade, a escolha das cores coube a d. Pedro e nada têm a ver com a fauna e a riqueza mineral: o verde era a cor tradicional dos Bragança, e o amarelo, dos Habsburgo-Lorena, a família da imperatriz d. Leopoldina. O desenho de um losango amarelo sobre um campo verde foi concebido por Jean-Baptiste Debret e teve como inspiração as bandeiras militares francesas do período pós-Revolução Francesa.

À medida que d. Pedro criava os símbolos da nova nação até aquele momento sem uma Constituição, ainda se discutia como consolidar o jovem de apenas 24 anos no poder. No dia 14, o militar e naturalista Domingos Alves Branco Muniz Barreto, o mesmo que propusera o título de Defensor Perpétuo do Brasil, propôs que o príncipe fosse aclamado "imperador constitucional". Três dias depois, o presidente do Senado da Câmara, José Clemente Pereira, expediu uma circular, exortando vilas e cidades do Brasil a reconhecerem a autoridade de d. Pedro como governante – o que, além do reconhecimento "popular", evitaria um possível rótulo de "usurpador". No dia 21, a data da "aclamação" foi definida: 12 de outubro, dia do aniversário do príncipe.

Mas ainda havia discordâncias entre os grupos que davam sustentação a d. Pedro. O liderado por Gonçalves Ledo, que fora responsável por colocar o príncipe no posto máximo da maçonaria, exigia um juramento antecipado à Constituição que viria a ser elaborada. José Bonifácio achou a ideia absurda – o que de fato era; afinal, um ano antes, o próprio d. Pedro havia jurado previamente a Constituição portuguesa para logo depois distanciar-se das Cortes. Nesse meio tempo, começaram a chegar das diversas províncias do país o consentimento dado pelas Câmaras para que d. Pedro fosse declarado imperador constitucional do Brasil. No começo de outubro, a poucos dias da aclamação, José Bonifácio venceu a disputa, ficando acordado que nada se falaria a respeito de juramento prévio durante as festividades preparadas para o mês seguinte.

Não obstante a tradição portuguesa usasse "rei" para designar o chefe de Estado, e com este título d. Pedro fora inicialmente saudado em São Paulo, a ideia de um "rei do Brasil" foi substituída pela de "imperador do Brasil". Segundo Drumond, a mudança teria ocorrido exclusivamente por influência de José Bonifácio.[145] A troca sutil tinha um motivo político bem claro. Segundo o idealismo liberal, "imperador" estava ligado ao conceito de aclamação popular; enquanto "rei" remetia à teoria de origem divina, segundo os preceitos do absolutismo. Com isso, embora fosse um conservador, José Bonifácio mostrava a habilidade com que lidava com as questões políticas relativas à construção do país.

A ACLAMAÇÃO

O dia 12 de outubro amanheceu chuvoso no Rio de Janeiro. Nada, entretanto, impediria o povo brasileiro de aclamar seu "herói".[146] Depois de uma salva disparada das fortalezas da cidade e do embandeiramento das fortificações e da esquadra ancorada na baía, por volta das nove horas tropas do Exército ocuparam o campo de Santana. Seis canhões foram posicionados no local e duas brigadas divididas em regimentos de infantaria, cavalaria, artilharia, de fuzileiros e de granadeiros, fizeram evoluções e alinharam-se à espera de d. Pedro. O povo se reuniu em grande número em torno do que viria a ser chamado de campo da Aclamação (hoje praça da República). Janelas e varandas das casas em volta e por toda a cidade foram enfeitadas com sedas e colchas verde-amarelo, cor que estava nos vestidos e plumas dos toucados das senhoras. No centro da praça, o palacete do conde de Arcos, onde o Senado da Câmara se instalara, foi preparado exclusivamente para a ocasião (no mesmo local, embora muito modificado, hoje está localizada a Faculdade de Direito da UFRJ). Internamente, o prédio recebeu a mobília adequada. Por fora, as varandas, as grades das janelas e os arcos inferiores foram decorados com cortinas de damasco e veludo carmesim. Defendido pela guarda de honra, o palacete ostentava o novo brasão de armas. Como as novas flâmulas não ficaram prontas a tempo da cerimônia, foram hasteadas bandeiras com quinas portuguesas – um antigo símbolo heráldico lusitano.

Por volta das dez horas, d. Pedro, d. Leopoldina e a filha d. Maria da Glória deixaram o palácio de São Cristóvão em direção ao centro do Rio.[147] A carruagem era acompanhada por uma guarda de oficiais paulistas e fluminenses, moços de estribeira brancos e três moços de estribeira que representavam os outros povos do Brasil: um indígena, um mulato e um negro. Quando chegou à praça, a família imperial foi recebida com as tradicionais manifestações de entusiasmo, o agitar de lenços e flores que eram atiradas das janelas próximas. Recebido pelos vereadores e acompanhado dos ministros e secretários de Estado, d. Pedro se dirigiu à varanda do palacete onde se daria a aclamação. Como presidente da casa, Clemente Pereira discursou, afirmando o que fora previamente acertado. O Brasil desejava defender sua independência – "e antes morrer do que perdê-la" –, queria como forma de governo um império constitucional e hereditário, em que d. Pedro e seus descendentes fossem reconhecidos com o título de Defensor Perpétuo do Brasil. O jovem imperador respondeu que aceitava o título por ter ouvido o Conselho de Estado e as representações das câmaras de diversas províncias. Lenços brancos se agitaram e uma explosão de vivas, abraços e lágrimas percorreu a capital. "O coração não cabia no peito, queria saltar fora do seu estreito recinto", escreveu o jornalista d'*O Espelho*. Para marcar o momento, a artilharia disparou uma salva de 101 tiros, seguida de três descargas da infantaria.

Encerrado o primeiro ato, d. Leopoldina e a pequena princesa, então com três anos de idade, dirigiram-se à Capela Real, renomeada de Capela Imperial. D. Pedro seguiu a pé, debaixo de um pálio. Por quase dois quilômetros, tendo passado por seis arcos do triunfo, foi coberto com chuvas de flores – os arcos eram dedicados à "nova pátria de Pedro", ao "gênio brasileiro", ao "amor conjugal", ao comércio, à prosperidade do Brasil e ao "imperador perfeito". Ao chegar à igreja, foi recebido pelo bispo d. José Caetano da Silva Coutinho. De joelhos, o imperador beijou o Santo Lenho – segundo a tradição católica, um pedaço da cruz na qual Cristo fora crucificado – e recebeu aspersão de água benta. Acompanhado do cabido, d. José Coutinho entoou o *Te Deum* e as orações apropriadas. Encerrada a missa, d. Pedro seguiu até o Paço para o beija-mão. Mais uma vez, o dia se encerraria no teatro, onde o imperador foi recebido com aplausos e com o "hino patriótico".

Na manhã do dia seguinte, mais salvas de artilharia, vivas, missa e beija-mãos. Os festejos seguiriam por seis dias. Mas era preciso organizar o governo. Nos decretos seguintes, d. Pedro ordenou que as repartições públicas o tratassem por "majestade imperial", concedeu perdão a desertores e a um grande número de presos, organizou os batalhões militares, detalhando o uso de cores nas fardas e a regulação da entrega de patentes.[148] Acertado o desenho e concluída a confecção, as primeiras bandeiras auriverdes foram benzidas na Capela Imperial no dia 10 de novembro, data da Apresentação de Nossa Senhora. O próprio d. Pedro distribuiu as flâmulas e participou do primeiro hasteamento, realizado no largo do Paço diante das tropas de linha. No dia seguinte, o novo pavilhão nacional tribulava em fortalezas e nos navios da Armada.[149]

A aclamação de d. Pedro era parte do projeto de legitimação do poder monárquico no Brasil – que viria a ser o único Estado americano a romper com a metrópole e manter uma tradição europeia de reis e imperadores. A aprovação por parte dos representantes municipais e o reconhecimento popular prepararam o povo brasileiro para o passo seguinte: a coroação do primeiro imperador dos Trópicos.

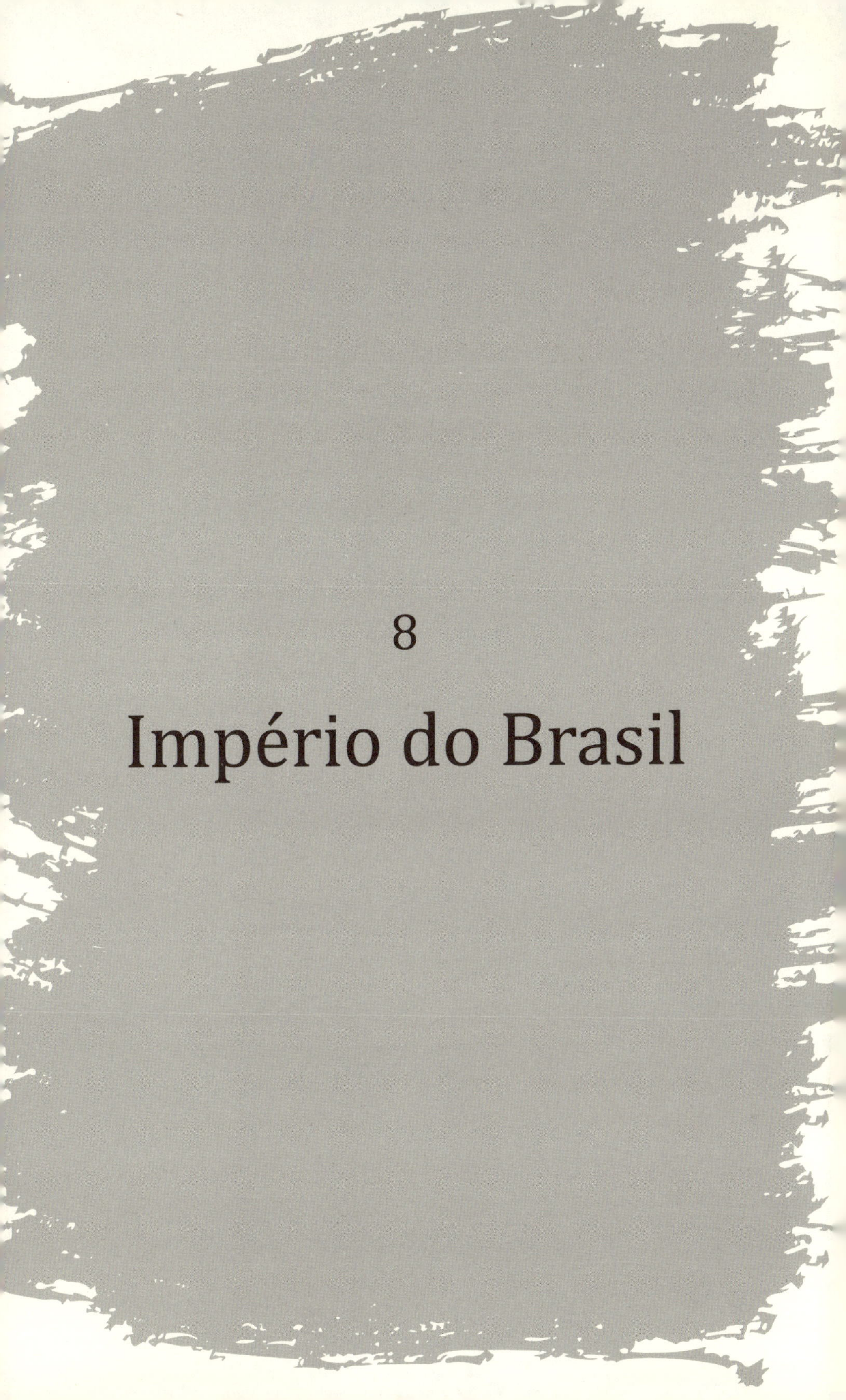

8

Império do Brasil

RIO DE JANEIRO, domingo, 1º de dezembro de 1822.[150] Eram sete horas da manhã quando o batalhão de granadeiros, destacado para fazer a guarda de honra, se posicionou em frente à Capela Imperial, no centro da cidade, disparando as primeiras salvas de artilharia, anunciando à capital do novo país o início do dia de coroação e sagração do imperador d. Pedro I. O caminho do Paço até a igreja (na atual praça XV de Novembro) foi logo ocupado por unidades de caçadores e de cavalaria. A data escolhida para a cerimônia lembrava a chegada da Casa de Bragança ao trono português, em 1640, e todo o ritual fora elaborado por uma comissão composta por d. José Caetano da Silva Coutinho, bispo do Rio de Janeiro, José Bonifácio, frei Arrábida, o barão de Santo Amaro e o monsenhor Sampaio Fidalgo, cônego da Sé do Rio e reitor do Seminário da Lapa. A sagração não era uma tradição lusa e fora resgatada do Pontifical Romano do século XVI, embora o barão de Mareschal tenha afirmado e popularizado a informação de que o ato fosse cópia da coroação de Napoleão, realizada dezoito anos antes.

Por volta das 9h30, no outro extremo da cidade, o coche com d. Pedro e d. Leopoldina deixou o palácio de São Cristóvão em direção ao Paço. Outras quatro carruagens conduziam autoridades, camaristas e veadores. Um piquete de cavalaria seguiu à frente e dois esquadrões de guarda vinham logo atrás, sob o comando do coronel Gama Lobo – o mesmo que acompanhara d. Pedro a São Paulo. A passagem do casal imperial pelas ruas cariocas causou alvoroço entre os populares, que ocupavam quase todo o centro da cidade.

Das janelas das casas enfeitadas, senhoras acenavam lenços brancos e os gritos e vivas da multidão se misturava ao som dos fogos de artifício, dos repiques dos sinos e da música dos batalhões militares. Ao cruzar pela praça da Constituição (atual Tiradentes), d. Pedro foi saudado por uma brigada do Exército que estava ali estacionada. Ao chegar ao Paço, na Sala do Trono, uma coroa de ouro 22 quilates e 217 brilhantes aguardava d. Pedro, repousada sobre uma mesa de veludo verde. Pesando pouco mais de 2,5 quilos, fora confeccionada em 34 dias; era uma obra-prima da ourivesaria nacional. Além da coroa, as insígnias nacionais, uma espada com brilhantes, as luvas, o manto, um bastão e o cetro – de ouro maciço, a peça tinha 2,5 metros de altura e uma serpente alada na ponta, a serpe, o símbolo da Casa de Bragança. Do Paço, d. Pedro seguiu o caminho da Capela Imperial debaixo de um pálio, acompanhado por uma longa fila de fidalgos e autoridades, que carregavam os objetos cerimoniais. O trajeto fora coberto por tapeçarias e ladeado por uma longa teia forrada de seda vermelha e ouro. À frente de d. Pedro seguiu o condestável, conde de Palma e, um passo atrás do imperador, José Bonifácio, o ministro e mordomo-mor.

Na Capela Imperial, ricamente decorada com sedas, prataria e ouro, o corpo diplomático estrangeiro, com representantes dos Estados Unidos, da Inglaterra, França, Rússia e Prússia, aguardava o imperador. O astuto representante austríaco não compareceu, alegando problemas de saúde. Na verdade, o cerimonial de consagração não caía bem aos olhos do ex-imperador do Sacro Império, e a separação do Brasil não fora aprovada por Metternich, o chanceler da Áustria e defensor da Santa Aliança, para quem o barão de Mareschal trabalhava. Para deixar a situação ainda mais delicada, no trono brasileiro estava uma arquiduquesa austríaca.

O ato religioso foi extremamente longo, com rituais elaborados, orações e cantos e com a participação de diversos religiosos e autoridades civis, como o ministro da Justiça. Além de d. José Coutinho, bispo e capelão-mor, celebraram a missa como auxiliares o bispo de Mariana, d. Frei José da Santíssima Trindade, e o bispo de Kerman – d. Vicente da Soledade e Castro, o primaz, bispo de Salvador, manteve-se fiel a Portugal e não se dirigiu ao Rio para a cerimônia. O trono de d. Pedro foi montado sobre o altar, ao lado da Bíblia: assim como o espaldar e o dossel, era de veludo com franjas de ouro, coberto com galões dourados. Como mandava a tradição portuguesa, as consortes não eram coroadas, muitos menos consagradas. Assim, d. Leopoldina acompanhou o ato de uma tribuna situada em frente ao trono, acompanhada da pequena princesa d. Maria da Glória. Depois de ajoelhar e ser ungido, d. Pedro retirou-se para o camarim, a fim de trocar a vestimenta usada durante a benção. Só então tomou o manto imperial, a espada e o cetro, recebendo a coroa das mãos de d. José Coutinho. Depois do *Te Deum*, foram entoados hinos e rezas, e frei Francisco de Sampaio – o redator do abaixo-assinado do Dia do Fico – realizou um discurso que teve como base um verso bíblico de um dos livros dos Reis, alusivo à unção de Salomão. Encerrada a missa, d. Pedro jurou defender a religião católica e as leis do império, sendo oficialmente entronizado "Imperador Constitucional e Perpétuo Defensor do Brasil". Às 13h30, o cerimonial foi encerrado ao som de salvas de artilharia, das fortalezas da cidade e da esquadra estacionada na baía de Guanabara. À noite, o casal imperial compareceu ao teatro, onde assistiu à ópera *Isabel, rainha da Inglaterra*, de Gioachino Rossini. Na segunda-feira, d. Pedro participou do tradicional beija-mão, e os festejos continuaram até o dia seguinte. Para celebrar a data da coroação, por decreto foram criadas a Ordem Imperial do Cruzeiro, distinção militar, civil e científica, e a Guarda de Honra do Imperador, corpo de cavalaria em homenagem aos voluntários paulistas que haviam participado da jornada de setembro.[151] Depois da aclamação, em outubro, a coroação e sagração encerravam o ciclo de legitimação do poder monárquico. Restava dar ao país um conjunto de leis fundamentais.

UM SONHO: A CONSTITUINTE DE 1823

Tendo um imperador, o Brasil ainda não tinha uma Constituição. Convocada em junho de 1822, a Assembleia Geral Constituinte e Legislativa do Brasil foi instalada somente em maio de 1823, cinco meses após a coroação e após uma série de disputas políticas. Nesse ínterim, d. Pedro tornara-se grão-mestre da maçonaria e havia suspendido o Grande Oriente, e José Bonifácio conseguira eliminar antigos desafetos e partidários da ideia republicana numa devassa que ficaria conhecida como "Bonifácia". Ainda que importantes atores no movimento de independência, José Clemente Pereira e padre Januário Barbosa haviam sido presos e exilados na França; Gonçalves Ledo precisou fugir para Buenos Aires. O desgaste do cargo e as tensões políticas, porém, logo acabariam por derrubar o próprio ministro.

O lugar escolhido para as sessões da Constituinte era um prédio do século XVII, onde funcionava o Senado da Câmara e a antiga cadeia pública, a "Cadeia Velha", que servira de prisão a Tiradentes, o inconfidente mineiro, e fora modestamente preparado para receber os representantes das províncias. Localizado próximo ao Paço Imperial e ao largo do Carmo (hoje praça XV de Novembro), o edifício de três andares seria demolido em 1922 para dar lugar ao palácio Tiradentes (hoje ocupado pela Assembleia fluminense). Com uma população de 2,5 milhões de habitantes livres e outros

1,1 milhões de escravizados, os brasileiros seriam representados por noventa deputados, de quatorze das dezenove províncias – Piauí, Maranhão, Grão-Pará, Sergipe e Cisplatina não chegaram a eleger representantes; e dos deputados eleitos, seis não chegaram a assumir. Dos presentes, 55 deputados tinham formação superior, 34 em Ciências Naturais e 21 em Direito; havia sete militares e dezenove sacerdotes, sendo um deles o bispo d. José Coutinho, eleito presidente – José Bonifácio atuaria como vice. A bancada mineira era a maior, com vinte deputados, incluindo dois nomes que haviam participado da Conjuração Mineira, em 1789.[152]

Depois de cinco encontros preparatórios, a sessão inaugural começou às nove horas da manhã de 3 de maio de 1823. O imperador, porém, só chegou ao recinto onde estavam os deputados meia hora depois do meio-dia. Fez, então, um longo e minucioso pronunciamento. Depois de discorrer sobre como os deputados deveriam trabalhar, elaborando uma Constituição "sábia, justa, adequada e exequível, ditada pela razão e não pelo capricho", em que os poderes fossem "organizados e harmonizados", afugentando a anarquia e plantando a árvore da "liberdade a cuja sombra deve crescer a união", causando o "assombro do mundo novo e velho", d. Pedro declarou que defenderia a pátria, a nação e a Constituição que fosse "digna do Brasil e de mim".[153]

Mas harmonizar leis com base em ideias vindas do Iluminismo, como a abolição da escravatura defendida por José Bonifácio, em uma sociedade que tinha por alicerce o latifúndio agrário baseado no trabalho escravo, não era tarefa fácil. Numa época em que não existiam partidos políticos – com organização pública, ideologia e programas definidos por estatutos –, pelo menos quatro grupos ou "facções" compunham a Constituinte. O grupo de liberais moderados, composto por proprietários rurais, burguesia e militares, era o mais numeroso. Esse grupo desejava consolidar a emancipação sem comprometer a ordem social e esperava restringir o poder do imperador. O de liberais exaltados pretendia transformações estruturais políticas e sociais mais amplas, como a redução das desigualdades sociais, a emancipação gradual da escravidão, um Estado laico e a implementação de um sistema federalista. Entre moderados e exaltados, circulavam os chamados "bonifácios", aliados do principal ministro do Império, adeptos de um centralismo político cujo pilar seria d. Pedro. Esses três "partidos" representavam os "brasileiros". Do lado oposto, encontrava-se o chamado "partido português", que cercava o imperador e reivindicava poderes absolutos para o monarca. Era composto por comerciantes, fidalgos e militares lusos que viviam no Brasil desde a chegada família real.

O esboço da Constituição ficou a cargo de uma comissão composta por sete deputados, entre eles José Bonifácio e seu irmão Antônio Carlos, que atuava como presidente e foi o principal redator. Depois de quatro meses, um anteprojeto com 272 artigos ficou pronto e foi apresentado na sessão de 1º de setembro.[154] Influenciada por constituições europeias recentes, a redação fortalecia o poder do Legislativo e dos ministros do Executivo, o que contrastava com os interesses pessoais do imperador. O texto também não abolia a escravidão. Embora durante as sessões tenham surgido a recomendação da abolição gradual, em um primeiro momento estariam livres apenas os escravizados que obtivessem carta de alforria. O projeto contava ainda com uma singularidade: a capacidade eleitoral e a elegibilidade dos cidadãos não seriam calculadas conforme a renda em dinheiro. O projeto estabelecia como critério censitário a farinha de mandioca, mercadoria de fabricação e consumo tipicamente nacional. Assim, de acordo com o artigo 126 da "Constituição da Mandioca" – a forma jocosa com que o povo passou a se referir a ela

–, seriam eleitores paroquiais ou provinciais, candidatos à Câmara ou ao Senado, aqueles que tivessem renda líquida anual correspondente à produção de 150, 250, quinhentos ou mil alqueires.

À medida que os meses avançavam, no entanto, a principal divergência acabou centrada numa disputa de poder entre os constituintes e o governo. Discursos inflamados, acusações e provocações eram trocados durante as sessões e vinculados na imprensa; ocorreram agressões, atentados e prisões. Uma crescente onda nacionalista cada vez mais raivosa passou a atacar duramente os portugueses que viviam no Brasil e até mesmo o próprio imperador, impaciente com o andamento vagaroso dos debates e receoso de ter que dividir o poder. Filho de absolutistas e temperamental, d. Pedro acreditava em princípios liberais e era um entusiasta do poder constitucional ao mesmo tempo que tinha atitudes autoritárias e antidemocráticas. A falta de habilidade política e atitudes conciliatórias exasperaram o ambiente e emperraram o andamento dos trabalhos. Entre maio e novembro, a Constituinte teve seis presidentes diferentes – entre eles José Bonifácio e Martim Francisco – e os deputados ainda discutiam o artigo 24.

D. Pedro não era contra o projeto apresentado, mas não iria tolerar ser colocado em posição subalterna ou alçado à mera figura decorativa. Afinal, ele fora aclamado, coroado e sagrado imperador "por livre vontade dos povos do Brasil". Os deputados, em sua maioria, aceitavam como forma de governo a monarquia constitucional hereditária, mas não abriam mão de uma administração representativa e liberal. Para muitos deputados, o governo se valia de medidas violentas e anticonstitucionais. O fato de o imperador ter incorporado soldados e oficiais portugueses ao Exército brasileiro causou desconforto entre os mais patriotas. Não obstante a ideia fosse inconveniente e impopular, não era de todo relevante, já que muitos dos principais articuladores políticos da independência haviam nascido em Portugal, incluindo o próprio monarca. Para d. Pedro, os constituintes cometiam perjúrio, por não defender a integridade e a independência do país, alongando-se em debates infrutíferos. Já na abertura da Assembleia, em maio, ele se mostrara preocupado com as constituições criadas após a Revolução Francesa, "teoréticas e metafísicas, e por isso inexequíveis". Assim, a relação dos envolvidos na criação da Carta Magna brasileira, que inicialmente era de entusiasmo, passou a ser de desconfiança e suspeição. Os Andradas, antes ao lado de d. Pedro, passaram a fazer oposição ao governo – principalmente Antônio Carlos, excelente orador e incendiário do sentimento antilusitano.

A situação se agravou após um boticário suspeito de escrever artigos contra os militares portugueses ser agredido a bordoadas no largo da Carioca. No dia 10 de novembro, enquanto se discutia o artigo sobre a liberdade de imprensa, o povo ocupou as galerias da Cadeia Velha, a sessão foi tumultuada e acabou suspensa. Exigindo vingança, Antônio Carlos e Martim Francisco deixaram o prédio nos braços de populares. Enquanto isso, d. Pedro reunia forças militares, já decidido a dissolver a Assembleia e dar um basta na situação; ideia que o próprio José Bonifácio já havia sugerido. O imperador ordenou, então, que a guarnição da cidade – cerca de dois mil homens – ficasse agrupada no campo de Santana (a atual praça da República) e de lá se dirigisse ao palácio de São Cristóvão, onde acamparia. Na manhã do dia 11, em revista às tropas e em meio à saudação de "Viva o Imperador Liberal e Constitucional!", D. Pedro ordenou que os soldados marchassem da Quinta da Boa Vista até a Cadeia Velha. Ameaçados e esperando resistir à pressão, os constituintes se declararam em sessão permanente, "enquanto durarem as inquietações na capital". Passaram por uma "noite de agonia" e apreensão. Falando na tribuna sobre a situação, o deputado paraibano Manuel Carneiro declarou que via no movimento das tropas o desassossego público: "O que eu vejo nisso é o governo a querer dar-nos a lei". "Sem liberdade, não podemos deliberar", afirmou.[155] Antônio Carlos propôs que d. Pedro levasse as tropas para setenta quilômetros da cidade e uma emenda cogitou levar a Assembleia para fora da capital. Chamado ao parlamento para intermediar a relação entre as partes, o coronel Francisco Vilela Barbosa, recém-nomeado ministro dos Negócios do Império, entrou no recinto fardado e de espada na cintura. Enquanto respondia aos questionamentos, teria ouvido pedidos para que "se declarasse o imperador fora da lei".[156] Na manhã do dia 12 de novembro, o general José Manuel de Morais, à frente de um grupo de artilharia e de um esquadrão de cavalaria, cercou o prédio onde se reuniam os deputados e entregou ao presidente da Assembleia o decreto de dissolução. Catorze deputados foram presos. Alguns conseguiram fugir e outros foram enviados apara o exílio. Afastado do ministério desde julho, José Bonifácio foi preso em casa. Encarcerado na fortaleza da Laje e depois na de Santa Cruz, foi expatriado no ano seguinte. A queda do principal conselheiro de d. Pedro durante o decisivo ano de 1822 deveu-se a muitos fatores. Incluíam seu temperamento e o comportamento de seus irmãos, e as disputas e intrigas políticas. José Bonifácio só voltaria ao Brasil em 1829, reaproximando-se do imperador. Em 1831, d. Pedro o nomeou tutor do filho e futuro d. Pedro II. Foi eleito deputado e grão-mestre do Grande Oriente, mas suspeito de tramar uma conspiração pela restauração do monarca, foi preso em 1833, sendo julgado e absolvido. Faleceria cinco anos depois, aos 75 anos.

OUTORGADA: A CONSTITUIÇÃO DE 1824

Ao dissolver a Constituinte, d. Pedro prometeu convocar outra, que deveria trabalhar sobre um anteprojeto apresentado por ele, "duplicadamente mais liberal do que a extinta". O imperador afirmou que para fazer semelhante projeto, "com sabedoria e apropriação às luzes, civilização e localidade do Império", era indispensável a convocação de "homens probos, e amantes da dignidade imperial, e da liberdade dos povos". Em manifesto aos brasileiros, no dia 16 de novembro, explicando os motivos para o fechamento do parlamento, alegou que a Assembleia fora inspirada pelo "gênio do mal", promovendo a discórdia e a desconfiança, possibilitando o surgimento do fanatismo político, com "cenas trágicas e horrorosas". Além de demorar nas decisões, o que para o monarca era perigoso. A ele, d. Pedro, coube usar de um "remédio" violento, o que lhe teria causado "desgosto e mágoa".[157]

Para elaborar sua Carta, d. Pedro reuniu, então, dez conselheiros. Do "Conselho de Estado", seis eram ministros. Como membro não oficial participou ninguém menos do que seu amigo particular, o fiel Chalaça, que atuava como secretário e "escritor-fantasma". Em menos de um mês, o imperador tinha em mãos o projeto constitucional desejado. Muito porque o projeto anterior, em parte, fora aproveitado. A versão de d. Pedro, porém, era mais bem redigida e concisa, contendo apenas 179 artigos.[158] O Brasil seria uma monarquia constitucional, hereditária e representativa. O diferencial do novo projeto, redigido pelo conselheiro José Joaquim Carneiro de Campos, era a inclusão de um quarto poder na estrutura administrativa, que viria a ser denominado "poder Moderador". Segundo o próprio documento, "a chave de toda organização política", o "equilíbrio e a harmonia dos demais poderes". A teoria do poder Moderador tinha origem no século XVII, elaborada pelo conde de Clermont-Tonnerre; fora desenvolvida pelo pensador franco-suíço Henri-Benjamin Constant no século XIX e servia bem aos interesses do imperador, cabendo a ele ser o fiel da balança entre os poderes Legislativo e Executivo em uma monarquia constitucional. É provável que a ideia tenha partido do próprio d. Pedro, leitor e admirador de Constant. Há evidências documentais de que o imperador conversou sobre o assunto com Chalaça, além da existência de rascunhos do irmão de José Joaquim, Francisco Carneiro de Campos, durante a Constituinte.[159]

Seja como for, o poder Moderador atribuía a d. Pedro a função de nomear e demitir ministros, de aprovar e suspender as resoluções dos Conselhos Gerais – mais tarde denominados de Assembleias Legislativas Provinciais –, dissolver a Câmara dos Deputados e convocar eleições. Tornado inimputável, o imperador teria ainda o direito de conceder anistia e perdoar penas impostas. Não obstante ter sido elaborada sem uma Constituinte, a nova Constituição era tão liberal quanto o projeto de 1823. Estabelecia a divisão dos poderes e repartia atribuições. Em alguns pontos era até mais avançada do que a maioria das constituições ocidentais do mesmo período. Garantia direitos individuais, dava liberdade à imprensa e liberdade de culto, ainda que com restrições, dando privilégios à Igreja Católica, que permaneceu como igreja oficial, embora sujeita ao Estado. Demais credos cristãos eram aceitos desde que não externassem publicamente sua profissão de fé, como a construção de templos, campanários etc. O direito ao voto, que era indireto e censitário, foi concedido a homens com pelo menos 25 anos (ou 21 se casados, oficiais militares, clérigos ou bacharéis) e uma renda mínima considerada baixa para os padrões da época. Os deputados eram eleitos indiretamente. Nas eleições primárias, votariam aqueles com renda líquida anual de cem mil réis – proveniente de bens e/ou de emprego. Escolhidos os "eleitores", que deveriam ter renda anual de duzentos mil réis, estes seriam os responsáveis por eleger os candidatos. Os senadores eram escolhidos pelo imperador com base em listas tríplices entre nomes eleitos nas províncias. Mulheres e analfabetos não tinham direito ao voto, embora isso não estivesse explícito no texto.

Concluída a redação, em dezembro de 1823 o texto foi enviado às Câmaras das vilas brasileiras para aprovação. A maioria delas acordou integralmente com a proposta, mas as de Itu, em São Paulo, e Salvador, na Bahia, teceram críticas e formularam emendas. As de Recife e Olinda não se pronunciaram e algumas outras no Nordeste foram contrárias. Sancionada pelos ministros e pelo Conselho de Estado, em abril de 1824 Luís Joaquim dos Santos Marrocos, oficial da secretaria de Estado dos Negócios do Império e bibliotecário da Biblioteca Imperial, escreveu a versão manuscrita que seria solenemente jurada por d. Pedro na Catedral da Sé (a antiga Capela Real), em 25 de março de 1824. Chamada de "Outorgada", por ter sido concedida ou doada, senão imposta, pelo monarca, a primeira Constituição brasileira seria a mais duradoura da história do país, caindo junto com a monarquia, em 1889. Ao ser revogada pelo governo republicano, era a segunda Constituição mais antiga do mundo, superada apenas pela dos Estados Unidos.

* * *

Com a promulgação da Constituição, d. Pedro completou o ciclo autonomista brasileiro, iniciado com o Dia do Fico. O reconhecimento da independência por parte de Portugal foi assinado pouco mais de um ano depois, em agosto de 1825 – não sem confrontos armados, acertos dinásticos e uma recompensação financeira considerável, que permitiu a Lisboa saldar uma dívida antiga com a Inglaterra, no valor de 1,4 milhão de libras esterlinas, e ainda seiscentos mil libras em indenizações de propriedades. Como um negócio de família, o acordo permitiu que a Casa de Bragança continuasse a reinar na América e na Europa. Os dois filhos de d. Pedro e d. Leopoldina, d. Maria da Glória e d. Pedro II, governariam Brasil e Portugal.

Até pelo menos 1830, o Doze de Outubro, data da aclamação, permaneceu sendo mais importante em detrimento do Sete de Setembro. Por decreto, datado de dezembro de 1822, d. Pedro ordenou que o dia marcaria o início do calendário do Império. Como "dia de grande gala", deveria ser comemorado com uma grande parada e com três saudações de 101 tiros, disparados à hora da alvorada, às treze horas e ao final da tarde, no arriar das bandeiras. Aos poucos, porém, as manifestações populares realizadas em setembro, iniciadas já em 1823, foram ocupando o espaço da celebração de outubro e de outras datas festejadas, como o Dia do Fico, o Vinte e Cinco de Março (data do juramento à Constituição), o Três de Maio (data da abertura da sessão legislativa) e o Primeiro de Dezembro (data da coroação e sagração). Um observador estrangeiro afirmou que o Sete de Setembro era "a data mais importante da história do Brasil imperial". Em 1825, a data do Grito do Ipiranga foi elevada ao mesmo status do Doze de Outubro.[160] Seis anos mais tarde, quando d. Pedro abdicou e retornou a Europa, o Sete de Setembro começou a suplantar o dia da aclamação – que era, também, o natalício do imperador. Ao longo do Segundo Reinado, d. Pedro II iria promover a consolidação da imagem do pai como herói nacional e fundador do Brasil independente.

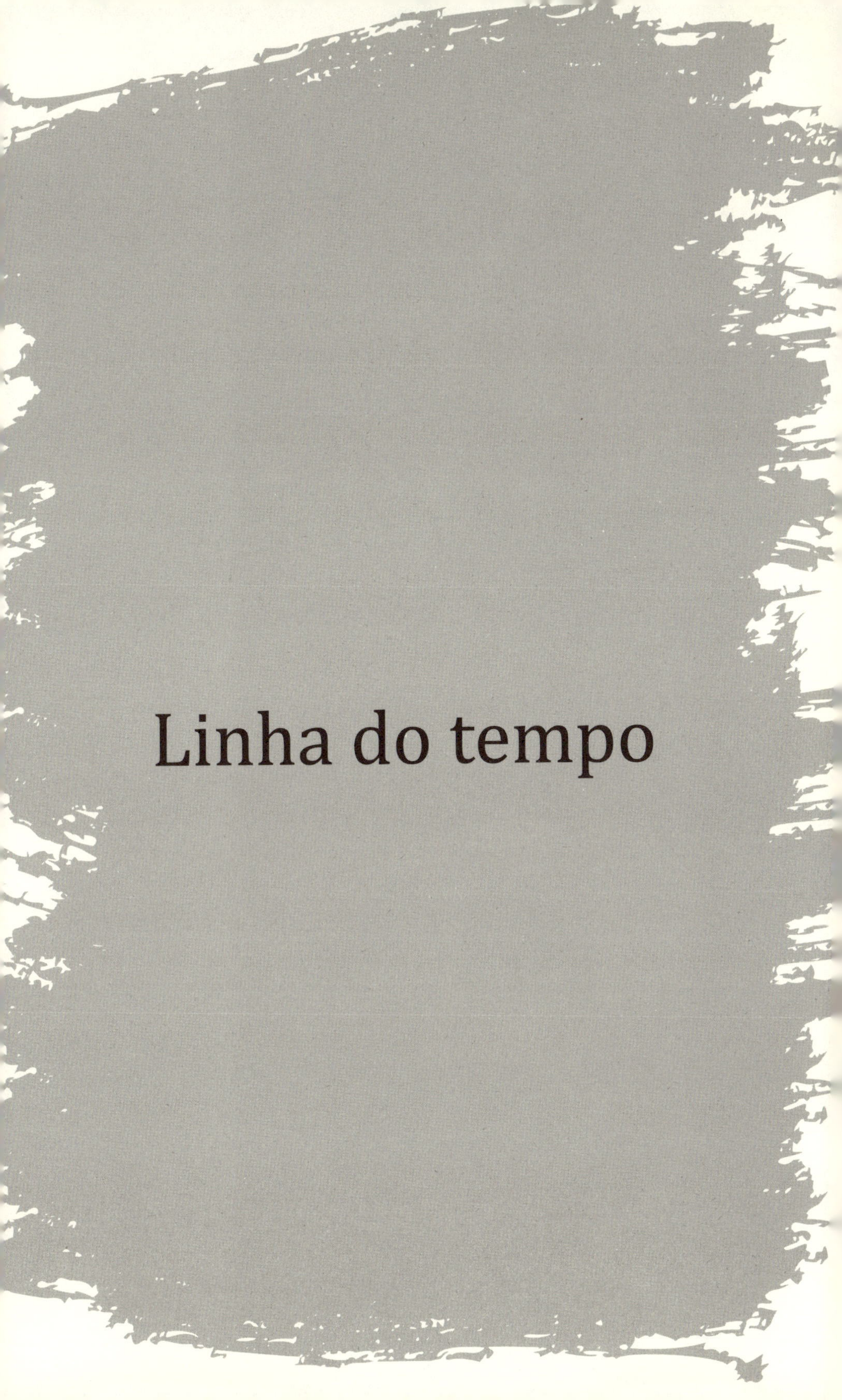

Linha do tempo

1808

7 mar. A família real portuguesa chega ao Rio de Janeiro.

1815

16 dez. O Brasil é elevado ao status de Reino Unido a Portugal e Algarves.

1820

24 ago. Início da Revolução Liberal do Porto.

1821

24 jan. As Cortes se reúnem no Palácio das Necessidades, em Lisboa. Em fevereiro, ordenam o retorno da família real a Portugal.

22 abr. D. João VI nomeia d. Pedro regente do Brasil. Três dias depois, a família real deixa o Brasil.

1822

9 jan. Dia do Fico.

9 fev. D. Pedro expulsa a Divisão Auxiliadora do Brasil.

16 fev. Criação do Conselho de Procuradores ou Conselho de Estado.

4 maio D. Pedro assina o "Cumpra-se".

13 maio D. Pedro recebe o título de Defensor Perpétuo do Brasil.

3 jun. A Assembleia Geral Constituinte e Legislativa brasileira é convocada.

1 ago. Gonçalves Ledo lança o Manifesto aos Povos do Brasil.

6 ago. D. Pedro publica o Manifesto do Príncipe Regente aos Governos e Nações Amigas.

14-25 ago. D. Pedro realiza a viagem entre o Rio e São Paulo.

2 set. O Conselho de Estado, no Rio, convocado e presidido por d. Leopoldina, recomenda ao regente a separação de Portugal.

5 set. D. Pedro viaja a Santos.

7 set. Retornando de Santos, d. Pedro declara a independência, às margens do riacho Ipiranga, em São Paulo.

18 set. Por decreto são criados os símbolos da nova nação (brasão de armas e bandeira).

12 out. D. Pedro é aclamado Imperador Constitucional do Brasil, no Rio de Janeiro.

1 dez. D. Pedro I é coroado e sagrado Imperador do Brasil, na Capela Imperial, no Rio de Janeiro.

1823

3 maio A Assembleia Geral Constituinte é instalada.

12 nov. D. Pedro ordena o fechamento da Assembleia Geral Constituinte.

1824

25 mar. D. Pedro outorga a primeira Constituição brasileira.

26 maio Os Estados Unidos reconhecem a independência do Brasil.

1831

7 abr. D. Pedro abdica do trono brasileiro em favor do filho, d. Pedro II.

13 abr. D. Pedro deixa o Brasil a bordo do navio *Volage*.

Linha do tempo Trajeto Rio-São Paulo

14-25 ago. 1822

14 | D. Pedro deixa o Rio e chega à fazenda Santa Cruz (RJ).

15 | Pouso na fazenda Olaria, em São João Marcos (RJ).

16 | Fazenda Três Barras, em Bananal (SP).

17 | Areias.

18 | Lorena.

19 | Guaratinguetá.

20 | Pindamonhangaba.

21 | Taubaté.

22 | Jacareí.

23 | Mogi das Cruzes.

24 | Penha de França.

25 | D. Pedro entra em São Paulo.

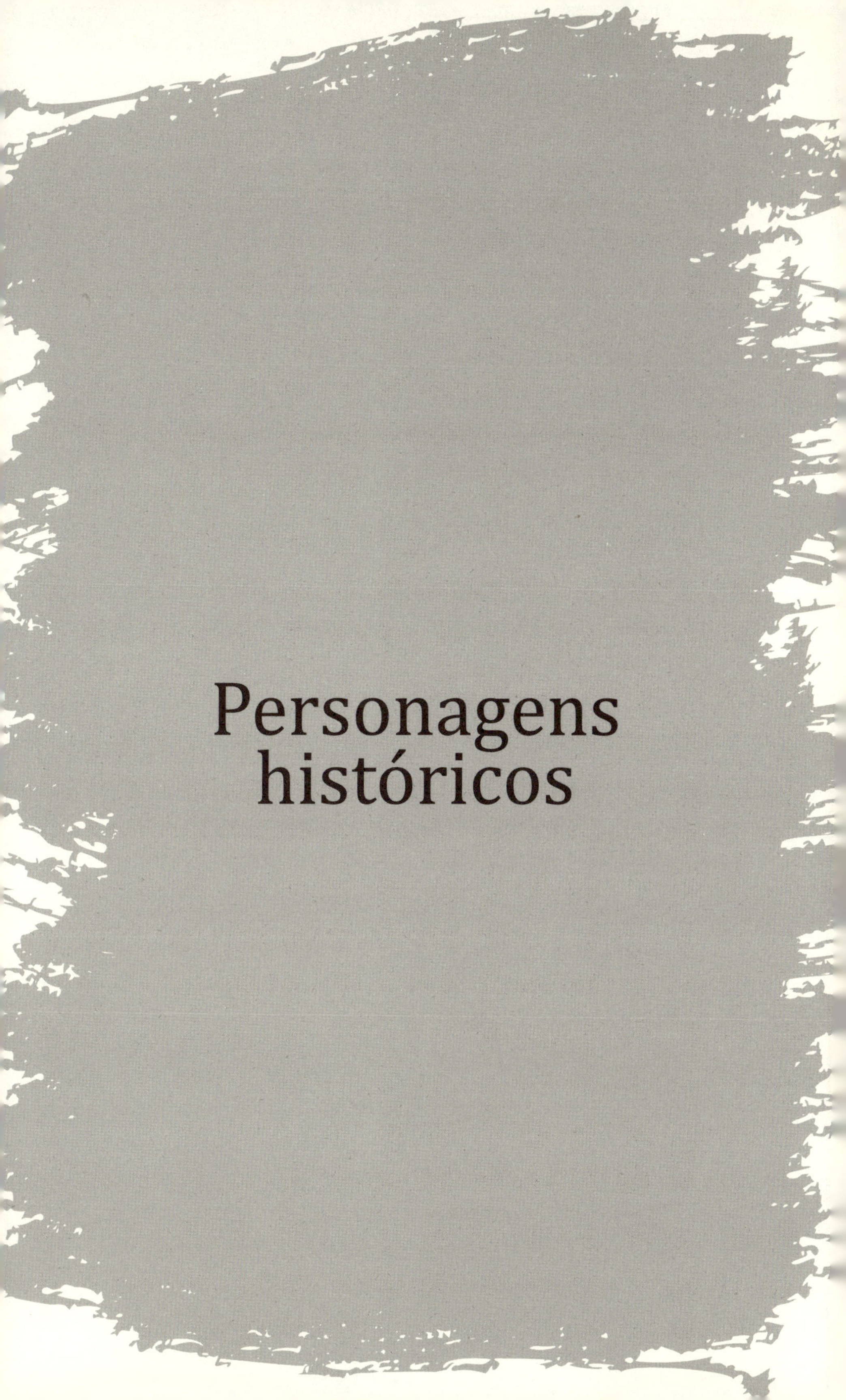

Personagens históricos

A lista a seguir inclui os principais personagens mencionados no livro, entre eles políticos brasileiros, diplomatas, cronistas e viajantes estrangeiros.

ANDRADE, Gomes Freire de (1685-1763). Fidalgo português, conde de Bobadela, foi governador-geral do Rio de Janeiro entre 1733-63.

ANTÔNIO CARLOS Ribeiro de Andrada Machado e Silva (1773-1845). Irmão de José Bonifácio. Esteve envolvido com a Revolução Pernambucana (1817), e como deputado constituinte foi o redator do anteprojeto constitucional de 1823.

ARMITAGE, John (1807-56). Comerciante britânico, viveu sete anos no Rio de Janeiro. Escreveu *História do Brasil*, publicado na Inglaterra em 1836.

AVILEZ, Jorge (1785-1845). Militar português, comandante da Divisão Auxiliadora. Esteve diretamente envolvido nos eventos de 1821-2, às vésperas da Independência. Foi expulso do Brasil por d. Pedro, em fevereiro de 1822.

BONIFÁCIO, José (1763-1838). Cientista, maçom e estadista, conselheiro e ministro de d. Pedro, considerado o principal articulador da separação política brasileira, o "Patriarca da Independência".

BÖSCHE, Eduard Theodor (1808-?). Mercenário alemão, sargento do Terceiro Batalhão de Granadeiros do Exército Imperial. Permaneceu nove anos no Brasil (1825-34), tendo publicado duas obras sobre o país. A mais conhecida delas, *Quadros alternados,* foi publicada na Alemanha em 1836.

CANTO E MELO, Francisco de Castro (1799-1868). Alferes, integrante da comitiva de d. Pedro em 1822, autor da "Descrição da viagem do príncipe do Rio de Janeiro a São Paulo", de dezembro de 1864, narrativa publicada pelo *Jornal do Commercio*, do Rio de Janeiro, em 1865. Sentou praça em 1815, no Corpo de Caçadores de Legião. Serviu em Montevidéu em 1821. Chegou ao Rio em Janeiro em 1822.

CHALAÇA (Francisco Gomes da Silva, 1791-1852). Amigo e secretário particular de d. Pedro, acompanhou o príncipe na viagem a São Paulo, presenciou o Grito do Ipiranga e participou da elaboração da Constituição de 1823.

CLEMENTE PEREIRA, José (1787-1854). Juiz de fora, português e um dos mais ativos entusiastas da Independência. Era presidente do Senado da Câmara do Rio de Janeiro e um dos articulistas do Dia do Fico.

DEBRET, Jean-Baptiste (1768-1848). Pintor e desenhista francês, viveu quinze anos no Brasil (1816-31), sendo considerado um dos mais importantes artistas do século XIX no país. Desenhou a bandeira nacional. Publicou *Viagem pitoresca e histórica ao Brasil* (1834-9).

D. LEOPOLDINA (1797-1826). Era filha de Francisco I, arquiduquesa austríaca e esposa de d. Pedro, personagem decisiva na Independência do Brasil. Era a regente em setembro de 1822, quando presidiu o Conselho de Estado. Mãe do segundo imperador brasileiro d. Pedro II.

D. JOÃO VI (1767-1826). Pai de d. Pedro, foi príncipe regente de Portugal e rei do Reino Unido de Portugal, Brasil e Algarves, sendo o responsável pela instalação da família real no Rio de Janeiro, em 1808.

D. PEDRO I (1798-1834). Filho de d. João VI e d. Carlota Joaquina, foi casado com d. Leopoldina e d. Amélia de Leuchtenberg. Proclamou a

Independência do Brasil, sendo o primeiro imperador brasileiro (1822-31). Mais tarde, em Portugal, reinaria como d. Pedro IV (1832-4).

DRUMMOND, Vasconcelos de (1794-1865). Diplomata, aliado de José Bonifácio e ativista do Dia do Fico, esteve presente na sessão do Conselho de Estado que definiu a Independência do Brasil.

EBEL, Ernst (viveu no século XIX). Viajante de língua alemã, escreveu *O Rio de Janeiro e seus arredores* em 1824, publicado em 1828, tendo como base suas cartas de viagem.

FRANCISCO I e II (1768-1835). Pai de d. Leopoldina, foi o último imperador do Sacro Império (1792-1806), como Francisco II, e o primeiro imperador da Áustria (1804-35), como Francisco I.

GAMA LOBO, Antônio Leite Pereira da (1782-1857). Português, coronel; foi o comandante da guarda de honra que acompanhou d. Pedro até São Paulo, em 1822. Presenciou o Grito do Ipiranga e deixou um relato sobre o Sete de Setembro. Foi nomeado primeiro Comandante da Imperial Guarda de Honra, além de veador de d. Leopoldina e dos primeiros dignitários da Ordem do Cruzeiro do Sul.

GRAHAM, Maria (1785-1842). Cronista e escritora inglesa, amiga e confidente de d. Leopoldina, escreveu sobre suas viagens e experiências no Brasil em *Diário de uma viagem ao Brasil e de uma estada nesse país durante parte dos anos de 1821, 1822 e 1823*, publicado na Inglaterra em 1824.

GONÇALVES LEDO, Joaquim (1781-1847). Comerciante carioca e oficial da contadoria do Arsenal do Exército, era ativista maçom e republicano, sendo um dos principais articuladores da Independência, autor do *Manifesto aos Povos do Brasil*, de agosto de 1822.

LEITHOLD, Theodor von (1771-1826). Capitão de cavalaria prussiano, esteve no Brasil com o sobrinho, Von Rango, entre 1819-20. Escreveu um livro com relatos da viagem, publicado na Alemanha em 1820. Mais tarde, a obra seria publicada em formato de livro, junto com as cartas de Von Rango, com o título de *O Rio de Janeiro visto por prussianos em 1819*.

LORENA, Bernardo José de (1756-1818). Fidalgo português, foi governador de São Paulo entre 1788-97. Durante seu governo, foi construída a Calçada do Lorena, que ligava o porto de Santos ao planalto paulista, via Serra do Mar.

LUCCOCK, John (viveu no século XIX). Comerciante inglês, viveu dez anos no Brasil (1808-18). Escreveu *Notas sobre o Rio de Janeiro e partes meridionais do Brasil*, publicado na Inglaterra em 1820.

MARESCHAL, barão de (Wenzel L. von Mareschal, 1784-1851). Representante da Áustria no Brasil (1820-32), foi testemunha da vida pública e privada no Rio de Janeiro da época da Independência.

MARQUESA DE SANTOS (Domitila de Castro Canto e Melo, 1797-1867). A amante mais famosa e influente de d. Pedro, tendo com ele um relacionamento entre 1822-9, que resultou em cinco filhos. Era irmã de Francisco de Castro Canto e Melo, companheiro de viagem de d. Pedro a São Paulo.

MARTIM FRANCISCO Ribeiro de Andrada (1775-1844). Irmão de José Bonifácio, foi secretário do Interior paulista, ministro da Fazenda de d. Pedro e deputado da Constituinte de 1823.

MARTIUS, Carl Friedrich Philipp von (1794-1868). Botânico bávaro, companheiro de viagem de Von Spix, esteve no Brasil entre 1817-20. Foi autor da monumental *Flora Brasiliensis*. Publicou ainda *Viagem pelo Brasil*, em três volumes, entre 1823-31.

MAWE, John (1764-1829). Mineralogista e viajante inglês, esteve no Brasil durante quatro anos (1807-11); publicou *Viagens ao interior do Brasil*, em 1812.

METTERNICH, Klemens Wenzel von (1773-1859). Ministro do Exterior e chanceler austríaco, foi um dos principais líderes políticos europeus durante as quatro primeiras décadas do século XIX.

OEYNHAUSEN, João Carlos Augusto (1776-1838). Fidalgo e militar português, marquês de Aracati. Foi governador do Grão-Pará e Rio Negro, Ceará, Mato Grosso e São Paulo. Estava no governo paulista quando foi deposto por d. Pedro, em junho de 1822.

OLIVEIRA MELO, Manuel Marcondes de (barão de Pindamonhangaba, 1776-1863). Coronel e segundo no comando da guarda de honra que acompanhou d. Pedro até São Paulo. Presenciou o Grito do Ipiranga e deixou relato sobre o Sete de Setembro, registrado por Alexandre José de Melo Morais, em 1862.

PADRE BELCHIOR (1775-1856). Religioso mineiro, líder maçom, estava com d. Pedro nas viagens a Minas Gerais e a São Paulo, presenciou o Grito do Ipiranga e deixou relato sobre o Sete de Setembro, publicado em 1826.

RANGO, Ludwig von (1794-1861). Esteve no Brasil com o tio, Von Leithold, entre 1819-20, deixando como legado um diário, publicado em 1821, na Alemanha, e que mais tarde seria editado em formato de livro, com o título *O Rio de Janeiro visto por prussianos em 1819.*

RUGENDAS, J. Moritz (1802-58). Pintor e desenhista bávaro, esteve no Brasil entre 1822-5. É um dos mais importantes ilustradores do Brasil do século XIX; escreveu *Viagem pitoresca ao Brasil*, publicado em 1835.

SAINT-HILAIRE, Auguste de (1779-1853). Botânico e naturalista francês, deixou inúmeros relatos sobre suas viagens pelo Brasil. Sua obra completa, *Viagens ao interior do Brasil*, foi publicada em oito volumes entre 1830-51.

SCHAEFFER, Georg von (1779-1836). Médico bávaro, amigo da imperatriz d. Leopoldina e de José Bonifácio, foi enviado à Europa em missão secreta antes do Sete de Setembro; organizou um projeto de imigração com artesãos e militares alemães.

SEIDLER, Carl (viveu no século XIX). Mercenário, alferes e cronista alemão, autor de *Dez anos no Brasil*, de 1835, um dos mais populares livros sobre a vida dos militares estrangeiros no Brasil do Primeiro Reinado.

SCHLICHTHORST, Carl (viveu no século XIX). Tenente e engenheiro alemão, serviu no Segundo Batalhão de Granadeiros do Exército Imperial. Como cronista, escreveu *O Rio de Janeiro como é*, livro publicado na Alemanha em 1829.

SPIX, Johann Baptist von (1781-1826). Zoólogo bávaro, companheiro de viagem de Von Martius, esteve no Brasil entre 1817-20. Foi autor de *Viagem pelo Brasil*, publicado em três volumes entre 1823-31.

WALSH, Robert (1772-1852). Reverendo, historiador e viajante irlandês, esteve no Brasil entre 1828-9, publicando *Notices of Brazil* [Notícias do Brasil] em 1830.

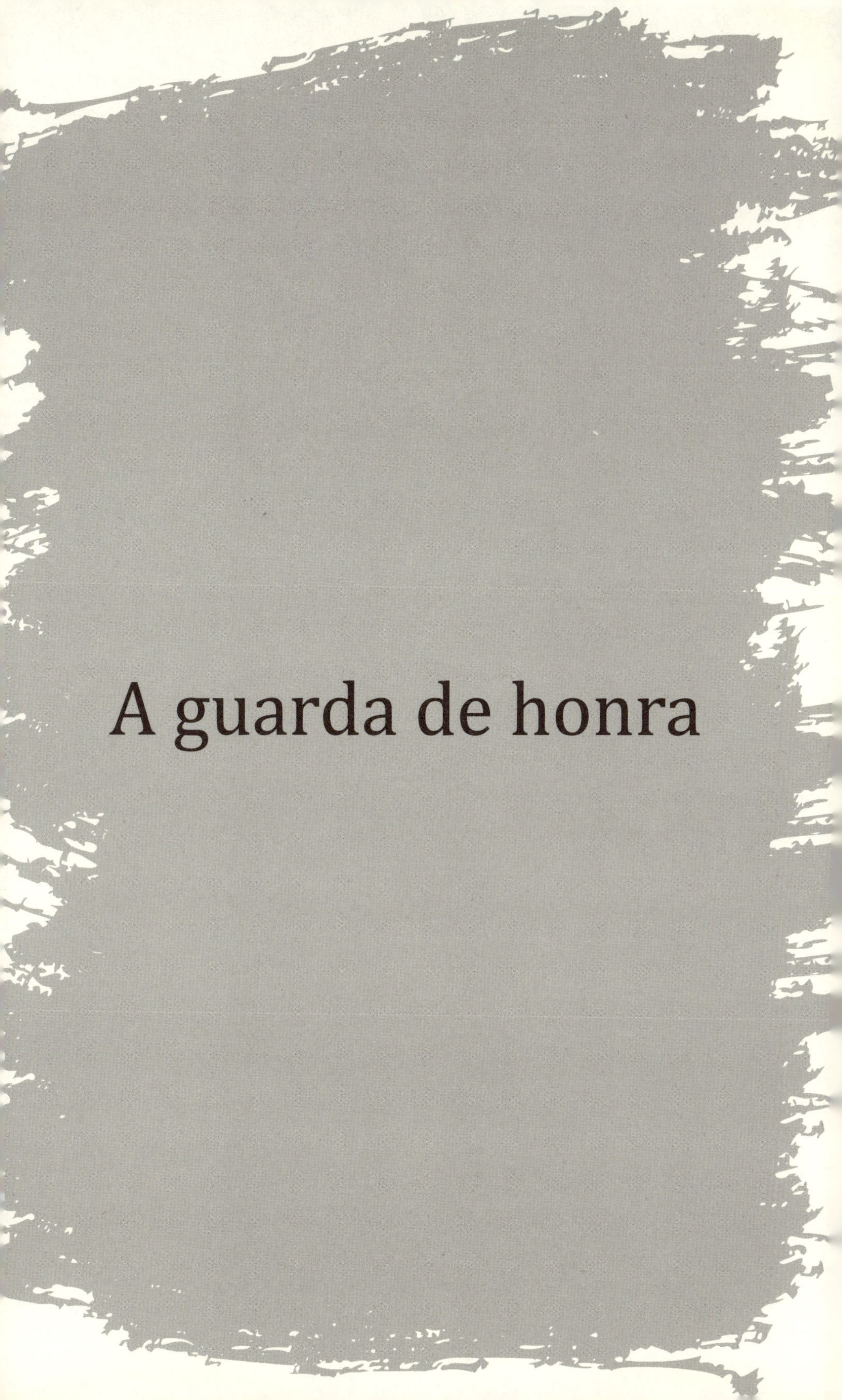

A guarda de honra

Comandante: coronel Antônio Leite Pereira da Gama Lobo.

Subcomandante: capitão-mor Manuel Marcondes de Oliveira Melo (mais tarde barão de Pindamonhangaba).

De Pindamonhangaba: sargento-mor (major) Domingos Marcondes de Andrade, tenente Francisco Bueno Garcia Leme, Adriano Gomes Vieira de Almeida, Antônio Marcondes Homem de Melo, Benedito Correia Salgado, Miguel de Godói Moreira e Costa, Manuel de Godói Moreira e Manuel Ribeiro do Amaral.

De Taubaté: Bento Vieira de Moura, Fernando Gomes Nogueira, Francisco Xavier de Almeida, João José Lopes, Rodrigo Gomes Vieira e Vicente da Costa Braga.

De Paraibuna: Flávio Antônio de Melo.

De Mogi das Cruzes: Salvador Leite Ferraz.

De Guaratinguetá: Custódio Leme Barbosa e José Monteiro dos Santos.

De Areias: sargento-mor (major) João Ferreira de Sousa.

De São João Marcos: Cassiano Gomes Nogueira, Floriano de Sá Rios, Joaquim José de Sousa Breves.

De Resende: sargento-mor (major) Antônio Ramos Cordeiro, Antônio Pereira Leite, João da Rocha Correia e Davi Gomes Jardim.

Do Rio de Janeiro: Antônio Luís da Cunha e Eleutério Velho Bezerra.

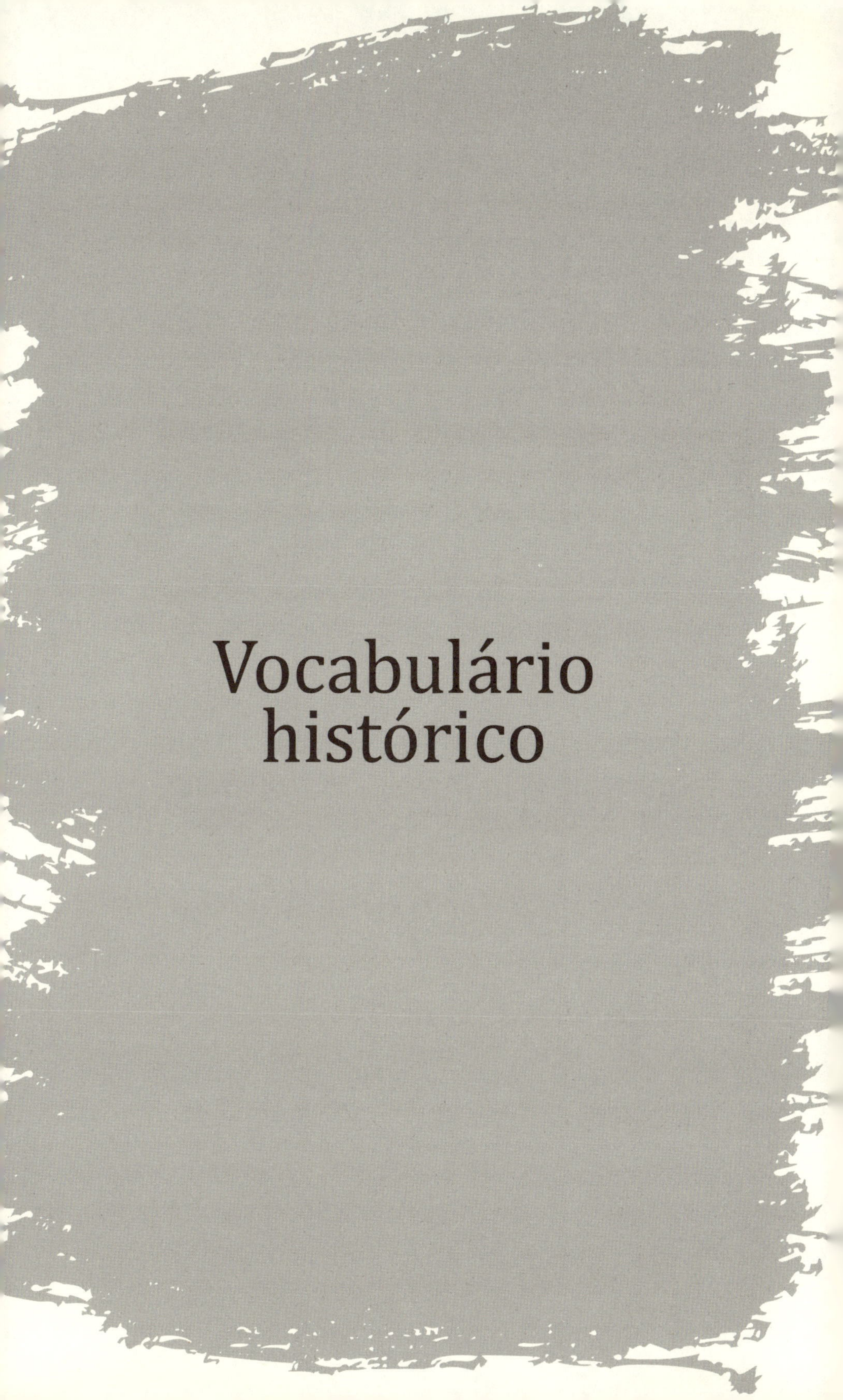

Vocabulário histórico

A lista a seguir inclui alguns dos termos históricos mais usados ao longo do livro.

ALFERES. Antigo posto militar, correspondente hoje ao posto de segundo-tenente.

ANTÍFONA. Versículo que se canta antes de um salmo; cântico curto entoado em melodias simples.

BERNARDA. A expressão vem de "bernardices", sinônimo de tolice ou asneira, pois assim os frades beneditinos se referiam às reformas realizadas por são Bernardo. Os militares portugueses usavam a expressão para designar uma conspiração militar, mas no Brasil passou a ser associada a qualquer movimento popular, revolta ou motim.

CABIDO. Conjunto de clérigos de catedral ou igreja; assembleia de uma congregação.

COMANDANTE DE ARMAS (também chamado de governador de Armas). Cargo instituído em 1821, tinha a incumbência de administrar e organizar as forças militares da província ou de determinada cidade, de forma independente da admiração pública.

CONDESTÁVEL. Posto militar de maior graduação ou título honorífico usado pelos maiores senhores da corte, responsável por carregar a espada diante de reis ou príncipes em cerimoniais.

CAPITÃO-MOR. Chefe de uma divisão militar, responsável pelo comando de uma tropa em determinada capitania, vila ou cidade. Em determinado período, também tinha responsabilidades administrativas.

DOSSEL. Armação de madeira ornamentada, forrada ou não de tecidos, usada sobre altares, tronos e leitos, com finalidade protetiva e/ou de ostentação.

FREGUESIA. Subdivisão territorial básica, subordinada à jurisdição eclesiástica de um vigário, organizada em torno de um agrupamento ou povoação.

FOGOS. Termo de época, usado para designar residências ou lugar de moradia de uma família.

GOVERNADOR DA PRAÇA. Governador de uma posição ou região, sendo o responsável militar pelo lugar.

JUIZ DE FORA. Magistrado nomeado para atuar onde não havia Juiz de Direito.

LÉGUA. Medida de distância usada no Brasil do século XIX, correspondente a aproximadamente 6,6 quilômetros (6.600 metros).

LITEIRA. Cadeira portátil usada como transporte, coberta ou fechada, sustentada por duas varas compridas que são levadas por dois ou mais homens, ou animais, à frente e atrás.

MILÍCIA. Tropa auxiliar, composta por cidadãos sem treinamento militar profissional, que atuava em parceria e subordinação ao Exército. Também eram chamadas de tropas de segunda linha.

MOIO. Antiga unidade de medida portuguesa, correspondente a 828 litros.

MONTEIRO-MOR. Caçador ou guarda responsável pela caça e pela organização das caçadas reais.

PÁLIO. Sobrecéu portátil, sustentado por varas, usado em cortejos, para cobrir reis, ou em procissões, para cobrir o padre ou religiosos.

PARÓQUIA. Delimitação territorial de uma diocese sobre a qual prevalece a jurisdição espiritual de um pároco.

PIPA. Antiga unidade de medida portuguesa, correspondente a 420 litros.

PROVÍNCIA. Divisão territorial administrativa, correspondente hoje a um estado federativo. Durante o período colonial era chamada de capitania.

SENADO DA CÂMARA. Representação parlamentar que hoje corresponde à Câmara municipal.

SITIAL. Assento adornado, como um estofado, usado em capelas.

TROPAS DE LINHA (ou tropas de primeira linha). Assim chamadas as tropas regulares, pagas ou profissionais do Exército.

VEADOR (ou viador). Empregado que servia a rainha, no Paço ou fora dele; camarista. Não confundir com vedor, "fiscal".

VILA. Povoação onde o número de habitantes era superior ao número de moradores de uma aldeia (arraial) e inferior ao de uma cidade. No período colonial e imperial, quando uma localidade era elevada à categoria de vila, passava a ter uma câmara de vereadores própria, cadeia pública e um juiz.

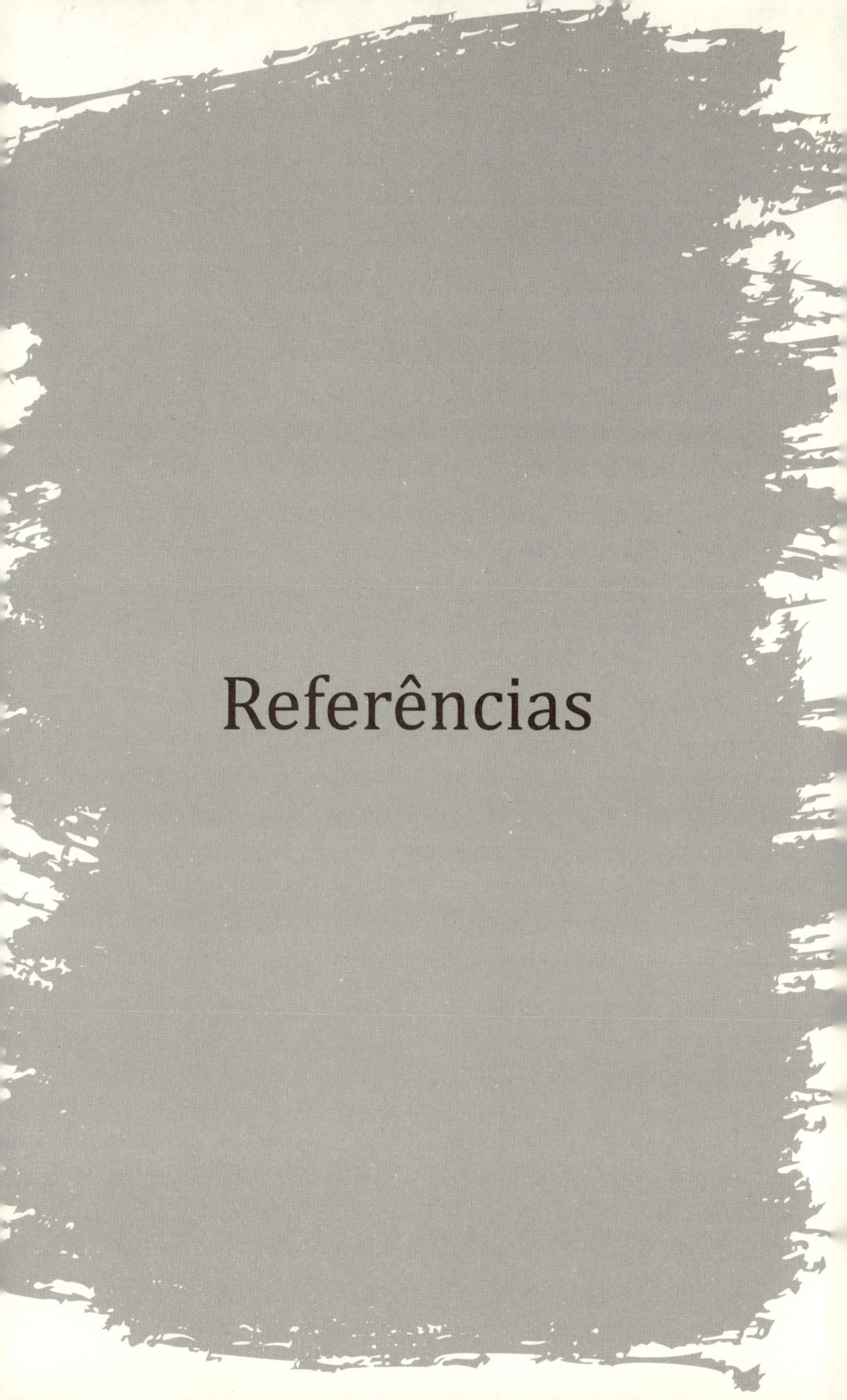

Referências

BIBLIOGRAFIA (INCLUINDO FONTES PRIMÁRIAS IMPRESSAS)

AMBIEL, Valdirene do Carmo. *O novo Grito do Ipiranga*. São Paulo: Linotipo Digital, 2017.

ANNAES DA BIBLIOTHECA NACIONAL. *Cartas Andradinas:* Correspondência particular de José Bonifácio, Martim Francisco e Antônio Carlos dirigida a A. de M. Vasconcellos de Drummond. Rio de Janeiro: Typ. G. Leuzinger & Filhos, 1890.

ANNAES DO PARLAMENTO BRAZILEIRO. *Assembléia Constituinte 1823*. 6 vol. Rio de Janeiro: Typographia do Imperial Instituto Artístico, 1874.

ARMITAGE, John. *História do Brasil.* Brasília: Senado Federal, 2011.

ASSEMBLEIA GERAL CONSTITUINTE E LEGISLATIVA. *Diário da Assembléia Geral Constituinte e Legislativa do Império do Brasil 1823*. 3 vol. Brasília: Senado Federal, 2003.

ASSUNÇÃO, Paulo de. *História do turismo no Brasil entre os séculos XVI e XX*. Barueri: Manole, 2012.

AVILEZ, Jorge. *Participação e documentos dirigidos ao governo pelo general commandante da tropa expedicionaria, que existia na provincia do Rio de Janeiro, chegado a Lisboa e remettidos pelo governo às Cortes Gerais,*

Extraordinarias e Constituintes da Nação Portugueza. Lisboa: Imprensa Nacional, 1822.

AZEVEDO, Francisca L. Nogueira de. *Carlota Joaquina na corte do Brasil*. Rio de Janeiro: Civilização Brasileira, 2003.

BARATA, Alexandre Mansur. *Maçonaria, sociabilidade ilustrada e Independência do Brasil, 1790-1822*. Juiz de Fora: UFJF/São Paulo: Annablume, 2006.

BARREIROS, Eduardo Canabrava. *Itinerário da Independência*. Rio de Janeiro: José Olympio, 1972.

BARROSO, Gustavo. *História militar do Brasil*. Rio de Janeiro: Biblioteca do Exército, 2000.

BARROSO, Gustavo (texto); RODRIGUES, J. Wasth (aquarelas). *Uniformes do Exército Brasileiro, 1732-1922*. Paris: A. Ferroud, 1922.

BETHELL, Leslie (Org.) *História da América Latina*: Da Independência a 1870. Vol. III. São Paulo: Edusp; Imprensa Oficial do Estado; Brasília, DF: Fundação Alexandre de Gusmão, 2004.

BÖSCHE, Eduardo Teodoro. Quadros alternados de viagens terrestres e marítimas, aventuras, acontecimentos políticos, descrição de usos e costumes de povos durante uma viagem ao Brasil. *Revista do IHGB*, Rio de Janeiro, tomo LXXXIII, 1918, pp. 133-241.

BRUNO, Ernani Silva. *História e tradições da cidade de São Paulo*. Vol.1: Arraial de sertanistas (1554-1828). Rio de Janeiro: Livraria José Olympio Editora, 1954.

CARTAS de Luiz Joaquim dos Santos Marrocos, escritas do Rio de Janeiro à sua família em Lisboa, de 1811 a 1821. *Anais da Biblioteca Nacional*, Rio de Janeiro, vol. 56, 1939.

CARTAS do imperador d. Pedro I a Domitila de Castro (marquesa de Santos). Rio de Janeiro: Typ. Moraes, 1896.

CARVALHO, Manuel Emílio Gomes de. *Os deputados brasileiros nas Cortes Gerias de 1821*. Brasília: Senado Federal, 2003.

CASTELLANI, José. *Os maçons na Independência do Brasil*. Londrina: A Trolha, 1993.

CINTRA, Francisco de Assis. *D. Pedro I e o grito da Independência*. São Paulo: Companhia Melhoramentos, 1921.

____. *A vida íntima do imperador e da imperatriz*. São Paulo: Unitas, 1934.

COSTA, Sérgio Corrêa da. *As quatro coroas de d. Pedro I*. Rio de Janeiro: Casa do Livro, 1972.

COSTA E SILVA, Alberto da (Coord.). *Crise Colonial e Independência 1808-1830*. Vol.1. São Paulo: Objetiva, 2014.

DEIRÓ, Pedro Eunápio da Silva. *Fragmentos de estudos da história da Assembléia Constituinte do Brasil*. Brasília: Senado Federal, 2006.

DEL PRIORE, Mary; VENANCIO, Renato. *Uma breve história do Brasil*. São Paulo: Planeta, 2010.

DRUMMOND, Antonio de Menezes Vasconcelos de. *Anotações de A. M. Vasconcelos de Drummond à sua biografia*. Brasília: Senado Federal, 2012.

EBEL, Ernst. *O Rio de Janeiro e seus arredores em 1824*. São Paulo: Editora Nacional, 1972.

FAUSTO, Boris. *História do Brasil*. 12. ed. São Paulo: Edusp, 2007.

FLORES, Moacyr. *Dicionário de História do Brasil*. 3. ed. Porto Alegre: Edipucrs, 2004.

FREITAS, Affonso A. de. *Tradições e reminiscências paulistanas*. São Paulo/ Belo Horizonte: Edusp/Itatiaia, 1985.

FROTA, Guilherme de Andrea. *Quinhentos anos de história do Brasil*. Rio de Janeiro: Biblioteca do Exército, 2000.

GÓES, Marcus. *Dom João*: o trópico coroado. Rio de Janeiro: Biblioteca do Exército, 2008.

GOMES, Laurentino. *1822*: Como um homem sábio, uma princesa triste e um escocês louco por dinheiro ajudaram d. Pedro a criar o Brasil – um país que tinha tudo para dar errado. Rio de Janeiro: Nova Fronteira, 2010.

GRAHAM, Maria. *Diário de uma viagem ao Brasil e de uma estada nesse país durante parte dos anos de 1821, 1822 e 1823*. São Paulo: Nacional, 1956.

____. *Correspondência entre Maria Graham e a imperatriz dona Leopoldina*. Belo Horizonte: Itatiaia, 1997.

GURGEL, Leôncio do A. A guarda de honra do príncipe d. Pedro. *Revista do IHGSP*, São Paulo, vol. IX, 1905, pp. 101-7.

____. Notas sobre o príncipe d. Pedro. *Revista do IHGSP*, São Paulo, vol. XXII, 1923, pp. 371-8.

HOLANDA, Sérgio Buarque de (Dir.). *O Brasil Monárquico*: o processo de emancipação. Coleção História Geral da Civilização Brasileira. Tomo II, vol.3. 9. ed. Rio de Janeiro: Bertrand Brasil, 2003.

____. *O Brasil Monárquico*: Dispersão e unidade. Coleção História Geral da Civilização Brasileira Tomo II, vol. 4. 8. ed. Rio de Janeiro: Bertrand Brasil, 2004.

____. *O Brasil Monárquico*: Reações e transações. Coleção História Geral da Civilização Brasileira. Tomo II, vol. 5. 8. ed. Rio de Janeiro: Bertrand Brasil, 2004.

HOLANDA, Sérgio Buarque de. *Caminhos e fronteiras*. 3. ed. São Paulo: Companhia das Letras, 1994.

____. *Raízes do Brasil*. São Paulo: Companhia das Letras, 2007.

IHGSP. *Revista do IHGSP*. Vol. XXII, consagrado à passagem do 1º Centenário da Independência do Brasil em São Paulo. São Paulo, 1923.

IMPRENSA NACIONAL. *Termo de vereação do dia 9 de janeiro de 1822.* Rio de Janeiro: Imprensa Nacional, 1822 [folheto].

____. *Constituição Política do Império do Brazil, 1824.* Rio de Janeiro: Imprensa Nacional, 1886.

____. *Collecção das decisões do governo do Império do Brazil, de 1822 a 1825.* 4 vol. Rio de Janeiro: Imprensa Nacional, 1885-7.

____. *Decretos, cartas e alvarás de 1822.* Rio de Janeiro: Imprensa Nacional, 1887.

____. *Decretos, cartas e alvarás de 1823.* Rio de Janeiro: Imprensa Nacional, 1887.

KANN, Bettina; LIMA, Patrícia Souza (pesquisa e seleção); JANCSÓ, István et al (artigos). *D. Leopoldina*: cartas de uma imperatriz. São Paulo: Estação Liberdade, 2006.

KIDDER, Daniel P. *Reminiscências de viagens e permanências no Brasil.* São Paulo: Martins/ Edusp, 1972.

LEITHOLD, Theodor von; RANGO, Ludwig von. *O Rio de Janeiro visto por dois prussianos em 1819.* São Paulo: Brasiliana, 1966.

LIMA, Manuel de Oliveira. *D. João VI no Brasil (1808-1821).* 4. ed. Rio de Janeiro: Topbooks, 2006.

____. *O movimento da Independência (1821-1822).* Brasília: Funag, 2019.

LOPEZ, Luiz Roberto. *História do Brasil Imperial.* Porto Alegre: Mercado Aberto, 1982.

LUCCOCK, John. *Notas sobre o Rio de Janeiro e partes meridionais do Brasil.* Belo Horizonte/São Paulo: Itatiaia/Edusp, 1975.

LUSTOSA, Isabel. *D. Pedro I.* Perfis brasileiros. São Paulo: Companhia das Letras, 2006.

LUZ, Milton. *A história dos símbolos nacionais*. Brasília: Senado Federal, 2005.

MACAULAY, Neill. *Dom Pedro I*: a luta pela liberdade no Brasil e em Portugal – 1798-1834. Rio de Janeiro: Record, 1993.

MACEDO, Joaquim Manuel de. *Um passeio pela cidade do Rio de Janeiro*. São Paulo/Rio de Janeiro: Planeta/FBN, 2004.

MAGALHÃES, J.B. *A evolução militar do Brasil*. Rio de Janeiro: Biblioteca do Exército, 1998.

MANSFELD, Julius. *Meine Reise nach Brasilien im Jahre 1826*. 2 vol. Magdeburg: Bänsch, 1828.

MARCÍLIO, Maria Luiza. *A cidade de São Paulo*: povoamento e população, 1750-1850. São Paulo: Pioneira/Edusp, 1973.

____. *Crescimento demográfico e evolução agrária paulista*, 1700-1836. São Paulo: Hucitec/Edusp, 2000.

MARIANI, Alayde W. et al. *Paço Imperial*: roteiro para visita histórica. 4. ed. Rio de Janeiro: Paço Imperial, 2004.

MARTINS, Antonio Egydio. *São Paulo antigo*: 1554-1910. São Paulo: Paz e Terra, 2003.

MARTINS FILHO, Enéias. Itinerário da Independência – de São Cristóvão ao Ipiranga. *Revista do IHGB*, Rio de Janeiro, vol. 268, 1970, pp. 82-9.

MAURÍCIO, Augusto. *Algo do meu velho Rio*. Rio de Janeiro: Brasiliana, 1966.

____. *Igrejas históricas do Rio de Janeiro*. Rio de Janeiro: Livraria Kosmos/ SEEC-RJ, [s. d].

MAWE, John. *Viagens ao interior do Brasil*. Belo Horizonte/São Paulo: Itatiaia/Edusp, 1978.

MELO, Francisco de Castro Canto e. Descrição da viagem do príncipe do Rio de Janeiro a São Paulo, feita pelo gentil-homem de sua câmara Francisco de Canto e Mello. MORAES, A. J. de M. *História do Brasil-Reino e Brasil-Império*. Rio de Janeiro: Typ. de Pinheiro & Cia., 1871, pp. 381-2.

MENCK, José Theodoro Mascarenhas. *D. Leopoldina, imperatriz e Maria do Brasil*. Brasília: Câmara dos Deputados, 2017.

____. *Primeiras eleições gerais no Brasil (1821)*. Brasília: Câmara dos Deputados, 2021.

MINISTÉRIO DAS RELAÇÕES EXTERIORES. *Arquivo Diplomático da Independência*. 6 vol. Rio de Janeiro, 1922-25 [Edição fac-similar, 1972].

MONTEIRO, Tobias. *História do império*: a elaboração da Independência. 2 vol. Belo Horizonte/São Paulo: Itatiaia/Edusp 1981.

____. *História do império*: o Primeiro Reinado. 2 vol. Belo Horizonte/São Paulo: Itatiaia/Edusp 1982.

____. *História do império*: a elaboração da independência, 1803-1823. Brasília: Senado Federal, 2018.

MONTET, Baronne Du. *Souvenirs de la baronne Du Montet, 1785-1866*. Paris: Plon, 1914.

MORAES, A. J. de M. *História do Brasil-Reino e Brasil-Império*. Rio de Janeiro: Typ. de Pinheiro & Cia., 1871.

MORAIS, Alexandre José de Melo. *A Independência e o Império do Brasil*. Brasília: Senado Federal, 2004.

MORSE, Richard M. *Formação histórica de São Paulo*: de comunidade à metrópole. São Paulo: Difusão Europeia do Livro, 1970.

NEVES, Lúcia Maria Bastos Pereira das. *Corcundas e constitucionais*: a cultura política da Independência (1820-1822). Rio de Janeiro: Faperj, 2003.

OBERACKER JR., Carlos H. "O grito do Ipiranga"– Problema que desafia os historiadores. Certezas e dúvidas acerca de um acontecimento histórico". *Revista de História*, FFLCH/USP, n.92, 1972, pp. 411-64.

____. *A imperatriz Leopoldina*: sua vida e sua época. Rio de Janeiro: Imprensa Nacional, 1973.

____. O Rio de Janeiro em 1782 visto pelo Pastor F. L. Langstedt. *Revista do IHGB*, Rio de Janeiro, vol. 299, abr./jun. 1973, pp. 3-15.

____. A Corte de D. João VI no Rio de Janeiro segundo dois relatos do diplomata prussiano Conde von Flemming. *Revista do IHGB*. Brasília/Rio de Janeiro, vol. 346, jan./mar. 1985, pp. 7-55.

PEDROSA, Manuel Xavier de Vasconcellos. *A Guarda de honra do príncipe dom Pedro na viagem a São Paulo*: testemunhas do Grito do Ipiranga. Rio de Janeiro: IHGB, 1972.

PEIXOTO, José Maria Pinto. Duas palavras sobre D. Pedro I na época da Independência. *Revista do IHGB*, Rio de Janeiro, tomo 56, parte 2, 1893, pp. 5-31.

PIZA, A. de Toledo. Chronicas dos tempos coloniais – Episódios da Independência em S. Paulo". *Revista do IHGSP*, São Paulo, vol. IX, 1905, pp. 346-57.

POMBO, Rocha. *História do Brasil.* 11. ed. São Paulo: Melhoramentos, 1963.

QUEIROZ, Joaquim José de. Mappa da população da Côrte e provincia do Rio de Janeiro em 1821. *Revista do IHGB*, Rio de Janeiro, vol. 33, 1870, pp. 132-42.

RANGEL, Alberto. *Dom Pedro I e a marquesa de Santos*: à vista de cartas íntimas e de outros documentos públicos e particulares. São Paulo: Brasiliense, 1969.

____. *Cartas de d. Pedro I à marquesa de Santos*. Rio de Janeiro: Nova Fronteira, 1984.

REZZUTTI, Paulo. *D. Pedro I*: a história não contada. Rio de Janeiro: Leya, 2015.

___. *D. Leopoldina*: a história não contada. Rio de Janeiro: Leya, 2017.

___. *Titília e o Demonão*: a história não contada. Rio de Janeiro: Leya, 2019.

RUGENDAS, Johann Moritz. *Viagem pitoresca através do Brasil.* São Paulo: Livraria Martins, 1954.

SAIA, Luis. Notas preliminares sobre a fazenda Pau d'Alho: história, restauração e projeto de aproveitamento. *Revista de História*, [S. l.], vol. 51, n. 102, 1975, pp. 581-630.

SAINT-HILAIRE, Auguste de. *Viagem à província de São Paulo.* Belo Horizonte/São Paulo: Itatiaia/Edusp, 1976.

___. *Viagem pelas províncias do Rio de Janeiro e Minas Gerais.* Belo Horizonte: Itatiaia, 2000.

___. *Segunda viagem a São Paulo e quadro histórico da província de São Paulo.* Brasília: Senado Federal, 2002.

SANTOS, Francisco Martins dos. *História de Santos*, 1532-1936. 2 vol. São Paulo: Revista dos Tribunais, 1937.

SANTOS, Francisco Martins dos; LICHTI, Fernando Martins. *História de Santos – Poliantéia Santista.* São Vicente: Caudex, 1986.

SANTOS, Luiz Gonçalves dos. *Memórias para servir à história do reino do Brasil.* Brasília: Senado Federal, 2013.

SCHLICHTHORST, C. *O Rio de Janeiro como é (1824-1826).* Brasília: Senado Federal, 2000.

SCHWARCZ, Lilia Moritz; STARLING, Heloisa Murgel. *Brasil – uma biografia.* 2. ed. São Paulo: Companhia das Letras, 2018.

SEIDLER, Carl. *Dez anos no Brasil.* Brasília: Senado Federal, 2003.

___. *História das guerras e revoluções do Brasil, de 1825 a 1835*. São Paulo: Companhia Editora Nacional, 1939.

SENADO FEDERAL. *O ano da Independência*. Brasília: Senado Federal, 2010.

___. *Falas do trono*: desde o ano de 1823 até o ano de 1889. Brasília: Senado Federal, 2019.

SETÚBAL, Paulo. *As maluquices do imperador*: 1808-1834. São Paulo: Geração Editorial, 2008.

SEVCENKO, Nicolau; MINDLIN, José (textos); ANTUNES, Cristina (transcrição paleográfica). *São Paulo de Edmund Pink*. São Paulo: DBA, 2000.

SILVA, Elisiane da; NEVES, Gervásio Rodrigo; MARTINS, Liana Bach (Org.). *José Bonifácio*: a defesa da soberania nacional e popular. Brasília: Fundação Ulysses Guimarães, 2013.

SILVA, Francisco Gomes da. *Memorias offerecidas à nação brasileira pelo conselheiro Francisco Gomes da Silva*. Londres: L. Thompson, 1831.

____. *Memórias do Chalaça*. Rio de Janeiro: Tecnoprint, 1966.

SILVA, Moacir. *Kilometro zero*: caminhos antigos – estradas modernas. Rio de Janeiro: [s. n], 1934.

SLEMIAN, Andréa; PIMENTA, João Paulo G. *A corte e o mundo*: uma história do ano em que a família real portuguesa chegou ao Brasil. São Paulo: Alameda, 2008.

SOUSA, Otávio Tarquínio de. *José Bonifácio*. Rio de Janeiro: Biblioteca do Exército/José Olympio, 1974.

____. *Fatos e personagens em torno de um regime*. Belo Horizonte/São Paulo: Itatiaia/Edusp, 1988.

____. *História dos fundadores do Império do Brasil*: A vida de d. Pedro I. 3 tomos. Brasília: Senado Federal, 2018.

____. *História dos fundadores do Império do Brasil*: José Bonifácio. Brasília: Senado Federal, 2015.

____. *História dos fundadores do Império do Brasil*: Evaristo da Veiga. Brasília: Senado Federal, 2015.

SPIX, Jonn Baptist von [e MARTIUS, C. F. P. von.] *Viagem pelo Brasil (1817-1820)*. 3 vol. Brasília: Senado Federal, 2017.

TAUNAY, Affonso de E. *Do reino ao império*. São Paulo: Diário Oficial, 1927.

____. *História da cidade de São Paulo*. Brasília: Senado Federal, 2004.

TOLEDO, de Roberto Pompeu. *A capital da solidão*: Uma história de São Paulo das origens a 1900. Rio de Janeiro: Objetiva, 2003.

TRESPACH, Rodrigo. *Histórias não (ou mal) contadas*: revoltas, golpes e revoluções no Brasil. Rio de Janeiro: HarperCollins Brasil, 2017.

____. *1824*: Como os alemães vieram parar no Brasil, criaram as primeiras colônias, participaram do surgimento da Igreja protestante e de um plano para assassinar d. Pedro I. Rio de Janeiro: LeYa Brasil, 2019.

____. *Personagens da Independência do Brasil*. São Paulo: Editora 106, 2021.

VAINFAS, Ronaldo (Org.). *Dicionário do Brasil colonial (1500-1808)*. Rio de Janeiro: Objetiva, 2001.

VAINFAS, Ronaldo; NEVES, Lúcia Bastos Pereira das. *Dicionário do Brasil Joanino (1808-1821)*. Rio de Janeiro: Objetiva, 2008.

VALLADARES, Francisco Canavarro de. O primeiro comandante da Imperial Guarda de Honra, Antônio Leite Pereira da Gama Lobo. *Revista do IHGB*, Brasília-Rio de Janeiro, n. 340, 1983, pp. 15-20.

VARNHAGEN, Francisco Adolfo de. *História da Independência do Brasil*. Brasília: Ministério da Educação e Cultura/Instituto Nacional do Livro, 1972.

VASCONCELOS, Barão de; VASCONCELOS, Barão Smith de (Org.).

Archivo Nobiliarchico Brasileiro. Lausanne: La Concorde, 1918.

VIANNA, Hélio. *Contribuição à história da imprensa brasileira (1812-1869).* Rio de Janeiro: Imprensa Nacional, 1945.

____. *História do Brasil.* 7. ed. 2 vol. Rio de Janeiro: Melhoramentos, 1970.

WALSH, Robert. *Notices of Brazil in 1828 and 1829.* Londres: Frederick Westley and A.H. Davis, 1830.

ARQUIVOS, INSTITUIÇÕES, FUNDAÇÕES E ORGANIZAÇÕES CONSULTADOS OU VISITADOS PELO AUTOR

AHI – Arquivo Histórico do Itamaraty, www.gov.br

AHEx – Arquivo Histórico do Exército, www.ahex.eb.mil.br

AHMI – Arquivo Histórico Museu Imperial, www.museuimperial.gov.br

AN – Arquivo Nacional, www.arquivonacional.gov.br

Apesp – Arquivo Público do Estado de São Paulo, www.arquivoestado.sp.gov.br

BN – Biblioteca Nacional, www.bn.gov.br

BnF – Bibliothèque nationale de France, www.bnf.fr

Câmara dos Deputados, www.camara.gov.br ou www2.camara.leg.br

CHDD – Centro de História e Documentação Diplomática: www.funag.gov.br

GOB – Grande Oriente do Brasil, www.gob.org.br

Gosp – Grande Oriente de São Paulo, www.gosp.org.br

Fams – Fundação Arquivo e Memória de Santos, www.fundasantos.org.br

HDBN – Hemeroteca Digital da Biblioteca Nacional, memoria.bn.br

IHGB – Instituto Histórico e Geográfico Brasileiro, www.ihgb.org.br

IHGSP – Instituto Histórico e Geográfico de São Paulo, www.ihgsp.org.br

IHGSV – Instituto Histórico e Geográfico de São Vicente, SP

Paço Imperial, amigosdopacoimperial.org.br

Senado Federal, www12.senado.leg.br

Notas

Capítulo 1

1. Ver relato do Dia do Fico em A. J. de M. Moraes, *História do Brasil-Reino e Brasil-Império*, tomo 1, pp. 97-100; Maria Graham, *Diário de uma viagem ao Brasil*, pp. 197-9; e Imprensa Nacional, *Termo de vereação do dia 9 de janeiro de 1822*, p. 1.

2. Augusto Maurício, *Igrejas históricas do Rio de Janeiro*, pp. 131-4.

3. Descrições e opiniões sobre o Paço Real (Imperial) estão em John Luccock, *Notas sobre o Rio de Janeiro*, p. 6; C. Schlichthorst, *O Rio de Janeiro como é*, p. 46; Luiz Gonçalves dos Santos, *Memórias para servir à história do reino do Brasil*, pp. 44 e 75; e Joaquim Manuel de Macedo, *Um passeio pela cidade do Rio de Janeiro*, p. 29. Ver também opúsculo publicado pelo Paço Imperial (Mariani, 2004).

4. Imprensa Nacional, op. cit., pp. 2-3.

5. Conforme descrição do próprio Senado da Câmara. Ver Imprensa Nacional, op. cit., p. 1.

6. HDBN, *Diário do Rio de Janeiro*, 10 jan. 1822, n. 8, p. 1.

7. Carta de d. Pedro ao pai, de 9 jan. 1822, AHMI, I-POB-09.01.1822-PI.B.c 1-7.

8. Maria Graham, *Diário de uma viagem ao Brasil*, p. 199.

9. Carta de d. Pedro ao pai, de 19 jun. 1822, relembrado os acontecimentos de abril de 1821. AHMI, I-POB-09.01.1822-PI.B.c 1-7.

10. A bibliografia não é unânime quanto ao número de deputados eleitos nem quanto a seus nomes. Ver, entre outros, Francisco Adolfo de Varnhagen, *História da Independência do Brasil*, pp. 95-101; e José Theodoro Menck, *Primeiras eleições gerais no Brasil (1821)*, pp. 126-7 e 167-221.

11. Sobre a atividade maçônica em 1821-2, ver Rodrigo Trespach, *Personagens da Independência do Brasil*, pp. 127-41.

12. Ver Oliveira Lima, *O movimento da independência*, p. 156; e Assis Cintra, *D. Pedro I e o Grito da Independência*, pp. 133-5.

13. Carta de d. Pedro ao pai, de 12 fev. 1822. Ver Assis Cintra, op. cit., pp. 72-3.

14. Francisco Adolfo de Varnhagen, *História da Independência do Brasil*, p. 177.

15. HDBN, *Revérbero Constitucional Fluminense*, 30 abril 1822, n. 25, p. 303.

16. Carta de d. Pedro ao pai, de 21 maio 1822. Ver Assis Cintra, op. cit., pp. 79-81.

17. Alexandre Barata, *Maçonaria, sociabilidade ilustrada e independência do Brasil*, p. 224; Otávio Tarquínio de Sousa, *José Bonifácio*, p. 140.

18. Carta de d. Pedro ao pai, de 19 jun. 1822. AHMI, II-POB-09.01.1822-PI.B.c 1-7.

19. Imprensa Nacional, *Decretos, cartas e alvarás*, pp. 36-8.

Capítulo 2

20. O roteiro percorrido por d. Pedro entre o palácio de São Cristóvão e a fazenda de Santa Cruz não é inteiramente conhecido. Aqui, tomamos como base o relato de viajantes da época e o de Canto e Melo, que estava presente na comitiva e menciona a passagem por Venda Grande. Ver HDBN, *Correio Mercantil*, 14 jan. 1865, n. 14, p. 2. Sobre outros pontos, ver Maria Graham, *Diário de uma viagem ao Brasil*, p. 308-19; e John Luccock, *Notas sobre o Rio de Janeiro*,

pp. 176-8. O trajeto atual, seguindo uma rota semelhante, passa de sessenta quilômetros, mas é preciso observar que a parte inicial da viagem (Praia Pequena e Venda Grande), próximo à baía, devido aos sucessivos aterros, já não existe mais. É preciso lembrar ainda que as distâncias mencionadas hoje eram medidas em léguas no começo do século XIX. Ao longo do livro, usamos como padrão converter uma légua em 6,6 quilômetros.

21. Os números da população brasileira nessa época são aproximados e as estimativas variam entre 4,5 milhões e 5 milhões. Os dados da população do Rio de Janeiro são do censo concluído em 16 abr. 1821. Cf. Joaquim José de Queiroz, "Mappa da população da Côrte e provincia do Rio de Janeiro em 1821", p. 142.

22. John Luccock, op. cit., p. 29.

23. C. Schlichthorst, *O Rio de Janeiro como é*, p. 28; John Luccock, op. cit., p. 39.

24. Ernst Ebel, *O Rio de Janeiro e seus arredores em 1824*, p. 12; Julius Mansfeldt, *Meine Reise nach Brasilien im Jahre 1826*, v. 1, p. 110.

25. Johann Moritz Rugendas, *Viagem pitoresca através Brasil*, p. 18.

26. Theodor von Leithold e Ludwig von Rango, *O Rio de Janeiro visto por dois prussianos em 1819*, p. 11.

27. John Luccock, op. cit., pp. 40-5

28. Carlos Oberacker Jr., "O Rio de Janeiro em 1782 visto pelo Pastor F. L. Langstedt", pp. 5-8.

29. J. B. Spix e C. F. P. Martius, *Viagem pelo Brasil*, v.1, p. 42-3.

30. Theodor von Leithold e Ludwig von Rango, op. cit., pp. 127-8; Eduardo Teodoro Bösche, "Quadros alternados", p. 151; Carl Seidler, *Dez anos no Brasil*, p. 50; John Luccock, op. cit., p. 23; Bettina Kann e Patrícia Souza Lima, *Cartas de uma imperatriz*, p. 313.

31. Ernst Ebel, op. cit., pp. 140-5.

32. Maria Graham, *Correspondência entre Maria Graham e a imperatriz dona Leopoldina*, p. 147.

33. Otávio Tarquínio de Sousa, *A vida de d. Pedro I*, tomo 1, p. 554.

34. Otávio Tarquínio de Sousa, op. cit., p. 271; Carlos Oberacker Jr., *A imperatriz Leopoldina*, p. 38; Carlos Oberacker Jr., *A corte de d. João VI no Rio de Janeiro*, p. 261.

35. C. Schlichthorst, op. cit., pp. 60-1.

36. Valdirene Ambiel, *O novo Grito do Ipiranga*, p. 197.

37. Eduardo Teodoro Bösche, op. cit., p. 153; Bettina Kann e Patrícia Souza Lima, op. cit., p. 284; Ernst Ebel, op. cit., p. 140; John Armitage, *História do Brasil*, p. 71; Robert Walsh, *Notices of Brazil*, v. 2, p. 457.

38. Eduardo Teodoro Bösche, op. cit., p. 163.

39. Carl Seidler, op. cit., p. 126.

40. Maria Graham, *Correspondência entre Maria Graham e a imperatriz dona Leopoldina*, p. 65.

41. Robert Walsh, *Notices of Brazil*, v. 1, p. 215.

42. Bettina Kann e Patrícia Souza Lima, op. cit., p. 437.

Capítulo 3

43. HDBN, *Correio Mercantil*, 14 jan. 1865, n. 14, p. 2. Todas as demais citações a Canto e Melo neste capítulo constam desta referência. O trajeto percorrido por d. Pedro entre o Rio de Janeiro e São Paulo não é totalmente conhecido. Canto e Melo menciona apenas algumas cidades e pouco informa sobre as atividades do príncipe ou aspectos locais. Por isso, tomamos como base o caminho usado por tropeiros e viajantes e seus relatos, principalmente os de Auguste de Saint-Hilaire e de Spix e Martius, que passaram pelos mesmos lugares em 1817 e 1822.

44. Imprensa Nacional, *Collecção das decisões do governo*, p. 32.

45. Ronaldo Vainfas e Lúcia B. P. das Neves, *Dicionário do Brasil Joanino*, p. 158-60.

46. John Mawe, *Viagens ao interior Brasil*, p. 87; John Luccock, *Notas sobre o Rio de Janeiro*, p. 178; Maria Graham, *Diário de uma viagem ao Brasil*, pp. 323-4.

47. Bettina Kann e Patrícia Souza Lima, *Cartas de uma imperatriz*, pp.329 e 348.

48. J. B. von Spix e C. F. von Martius, *Viagem pelo Brasil*, v. 1, pp. 145-6. Sobre população, fazendas e produção no Vale do Paraíba, ver Luis Saia, "Notas preliminares sobre a fazenda Pau d'Alho". A sede da fazenda Três Barras ainda existe.

49. Auguste de Saint-Hilaire, *Segunda viagem a São Paulo*, pp. 118-9.

50. Sobre a população, ver Luis Saia, op. cit. Sobre os relatos, ver J. B. von Spix e C. F. von Martius, op. cit., p. 148; Auguste de Saint-Hilaire, *Segunda viagem a São Paulo*, p. 117.

51. Maria Luiza Marcílio, *Crescimento demográfico e evolução agrária paulista*, p. 144; J. B. von Spix e C. F. von Martius, op. cit., p. 153; Auguste de Saint-Hilaire, *Segunda viagem a São Paulo*, p. 82.

52. Bettina Kann e Patrícia Souza Lima, op. cit., p. 409.

53. Apesp, "Mapa geral de habitantes", Guaratinguetá, de 1809, do Fundo Secretaria de Governo, série Maços de População (1765-1866).

54. J. B. von Spix e C. F. von Martius, op. cit., pp. 155-6.

55. Leôncio do A. Gurgel, "Notas sobre o príncipe d. Pedro", p. 375.

56. J. B. von Spix e C. F. von Martius, op. cit., p. 157; Maria Luiza Marcílio, op. cit., p. 144; Auguste de Saint-Hilaire, *Segunda viagem a São Paulo*, p. 87.

57. Embora o caso possa não ter acontecido durante a viagem de 1822, é comumente tido como tendo ocorrido em Pindamonhangaba. Ver Leôncio do A. Gurgel, op. cit., p. 377; e Otávio Tarquínio de Sousa, *A vida de d. Pedro I*, tomo 2, p. 388.

58. Auguste de Saint-Hilaire, *Segunda viagem a São Paulo*, p. 89; J. B. von Spix e C. F. von Martius, op. cit., p. 160.

59. Apesp "Mapa geral de habitantes", Taubaté, de 1810, do Fundo Secretaria de Governo, série Maços de População (1765-1866).

60. Otávio Tarquínio de Sousa, op. cit., p. 389; Bettina Kann e Patrícia Souza Lima op. cit., p. 410.

61. Auguste de Saint-Hilaire, *Segunda viagem a São Paulo*, p. 107; J. B. von Spix e C. F. von Martius, op. cit., p. 161.

62. Leôncio do A. Gurgel, op. cit., p. 376.

63. Maria Luiza Marcílio, op. cit., p. 144.

64. Auguste de Saint-Hilaire, *Viagem à província de São Paulo*, pp. 147-8.

65. A distância entre o Rio de Janeiro e São Paulo, no começo do século XIX, era estimada entre 92 e 96 léguas (607 e 634 quilômetros). Na década de 1930, com a construção da rodovia Rio-São Paulo, que seguia mais ou menos a mesma rota, a distância seria encurtada para 533 quilômetros. Ver Moacir Silva, *Kilometro zero*, pp. 195-202.

Capítulo 4

66. Ver relato do dia em HDBN, *O Espelho*, 13 set. 1822, n. 86, pp. 4-5; e *Correio Mercantil*, 14 jan. 1865, n. 14, p. 2; "Termo de ajuntamento para ir ao encontro de Sua Alteza Real nesta cidade", apud A. de Toledo Piza, "Chronicas dos tempos coloniais", pp. 349-50. A ponte do Franca também era chamada de ponte do Carmo.

67. Affonso de E. Taunay, *História da cidade de São Paulo*, p. 233; Otávio Tarquínio de Sousa, *A vida de d. Pedro I*, tomo 2, p. 389.

68. Alberto Rangel, *Dom Pedro e a marquesa de Santos*, pp. 31-2; Affonso de E. Taunay, *Do reino ao império*, pp. 126-8.

69. Otávio Tarquínio de Sousa, *A vida de d. Pedro I*, tomo 2, p. 391.

70. Assis Cintra, *D. Pedro I e o Grito da Independência*, p. 158.

71. Auguste de Saint-Hilaire, *Viagem à província de São Paulo*, p. 141.

72. Rodrigo Trespach, *Personagens da Independência do Brasil*, p. 198.

73. Imprensa Nacional, *Decretos, cartas e alvarás de 1822*, p. 25.

74. Apesp, "Mapa geral dos habitantes que existem nesta cidade de São Paulo e seus distritos, 1822", do Fundo Secretaria de Governo, série Maços de População (1765-1866). Ver ainda Affonso A. de Freitas, *Tradições e reminiscências paulistas*, pp. 138-9. Dados sobre o desenvolvimento de São Paulo podem ser encontrados também em *A cidade de São Paulo* (1973) e *Crescimento demográfico e evolução agrária paulista* (2000), de Maria Luiza Marcílio.

75. John Mawe, *Viagens ao interior do Brasil*, pp. 63-4; J. B. von Spix e C. F. von Martius, *Viagem pelo Brasil*, v. 1, p. 185; Auguste de Saint-Hilaire, op. cit., p. 128-9.

76. Apesp, "Mapa geral dos habitantes que existem nesta cidade de São Paulo e seus distritos, 1822", do Fundo Secretaria de Governo, série Maços de População (1765-1866); e Affonso A. de Freitas, op. cit., p. 139.

77. Auguste de Saint-Hilaire, op. cit., p. 131-2.

78. Richard Morse, *Formação histórica de São Paulo*, p. 47.

79. Ernani Silva Bruno, *História e tradições da cidade de São Paulo*, v. 1, pp. 50-1.

80. John Mawe, op. cit., p. 72; Auguste de Saint-Hilaire, op. cit., p. 137.

81. Maria Luiza Marcílio, *Crescimento demográfico e evolução agrária paulista*, p. 94.

82. J. B. von Spix e C. F. von Martius, *op. cit.*, p. 177.

83. C. H. Oberacker Jr., *A imperatriz Leopoldina*, p. 418.

84. Alberto Rangel, op. cit., pp. 77 e 100-11.

85. HDBN, *Correio Mercantil*, 14 jan. 1865, n. 14, p. 2. Uma transcrição do relato, assinado em 16 dez. 1864, consta ainda em A. J. de M. Moraes, *História do Brasil-Reino e Brasil-Império*, pp. 381-2.

86. C. Schlichthorst, *O Rio de Janeiro como é*, pp. 58-9; Carl Seidler, *Dez anos no Brasil*, p. 131.

87. Alberto Rangel, op. cit., p. 77; Assis Cintra, *A vida íntima do imperador e da imperatriz*, p. 16.

88. Alberto Rangel, op. cit., pp. 76 e 91-2; Otávio Tarquínio de Sousa, op. cit., p. 393.

89. Sobre as cartas, ver Alberto Rangel, *Cartas de d. Pedro I à marquesa de Santos*; *Cartas do imperador d. Pedro I a Domitila de Castro*; e Paulo Rezzutti, *Titília e o Demonão*. Ver ainda Rodrigo Trespach, *Personagens da Independência do Brasil*.

Capítulo 5

90. HDBN, *O Espelho*, 3 set. 1822, n. 83, p. 4.

91. Bettina Kann e Patrícia Souza Lima, *Cartas de uma imperatriz*, pp. 409-11.

92. Baronne du Montet, *Souvenirs de la baronne du Montet*, p. 174.

93. Maria Graham, *Diário de uma viagem ao Brasil*, p. 297.

94. Carta de d. Leopoldina ao pai, o imperador Francisco I, datada de 1º mar. 1819, e carta a Maria Luísa, de 30 set. 1824, em Bettina Kann e Patrícia Souza Lima, op. cit., pp. 351 e 431.

95. Baronne du Montet, op. cit., p. 175. Os lábios salientes eram uma

característica marcante da família Habsburgo, por isso a baronesa se refere a "lábios austríacos", isto é, a família imperial.

96. Theodor von Leithold e Ludwig von Rango, *O Rio de Janeiro visto por dois prussianos em 1819*, p. 59; Marsilio Cassotti, *A biografia íntima de Leopoldina*, p. 239; Eduardo Teodoro Bösche, "Quadros alternados", p. 153.

97. Julius Mansfeldt, *Meine Reise nach Brasilien im Jahre 1826*, v. 1, p. 85; Carta a Maria Luísa, de 2 jul. 1821, em Bettina Kann e Patrícia Souza Lima, op. cit., p. 383.

98. Cartas de 9 jun. 1821 e do final de 1821, em Bettina Kann e Patrícia Souza Lima, op. cit., pp. 381 e 389.

99. Vasconcelos de Drummond, *Anotações*, p. 103.

100. Carta de 10 set. 1824, em Bettina Kann e Patrícia Souza Lima, op. cit., p. 429.

101. Carl Seidler, *Dez anos no Brasil*, p. 127; Eduardo Teodoro Bösche, "Quadros alternados", p. 180; Maria Graham, *Correspondência entre maria Graham e a imperatriz dona Leopoldina*, pp. 55 e 145.

102. Carta de 19 ago. 1822, em Bettina Kann e Patrícia Souza Lima, op. cit., pp. 407-8.

103. Ronaldo Vainfas e Lúcia Bastos Pereira das Neves, *Dicionário do Brasil joanino*, pp. 381-2; John Luccock, *Notas sobre o Rio de Janeiro*, p. 176; Maria Graham, *Diário de uma viagem ao Brasil*, p.277.

104. Cartas de 20 e 26 jan. 1818, em Bettina Kann e Patrícia Souza Lima, op. cit., pp. 325-6 e 329.

105. A. J. de M. Moraes, *História do Brasil-Reino e Brasil-Império*, pp. 384-5.

106. Vasconcelos de Drummond, op. cit., p. 101; Carlos Oberacker Jr, *A imperatriz Leopoldina*, p. 275.

107. Carlos Oberacker Jr, "O Grito do Ipiranga", pp. 446-7.

108. Ibid., pp. 444-5.

109. Ver cartas em Bettina Kann e Patrícia Souza Lima, op. cit., pp. 409-12. A. J. de M. Moraes, *História do Brasil-Reino e Brasil-Império*, pp. 384-5.

110. Carlos Oberacker Jr, "O Grito do Ipiranga", p. 436.

111. Senado Federal, *Conselho dos Procuradores Gerais das Províncias do Brasil 1822-1823*, p. 52.

112. Vasconcelos de Drummond, op. cit., p. 103.

113. Imprensa Nacional, *Collecção das decisões do governo do Império do Brazil de 1822*, pp. 79-80.

Capítulo 6

114. O relato que segue está em Francisco Martins dos Santos e Francisco Martins Lichti, *História de Santos – Poliantéia Santista*, v. 2, pp. 355-6.

115. Otávio Tarquínio de Sousa, *A vida de d. Pedro I*, tomo 2, p. 391-2.

116. O questionário respondido pelo barão, escrito em 14 abr. 1862, consta em A. J. de M. Moraes, *História do Brasil-Reino e Brasil-Império*, p.382-3; e *A Independência e o Império do Brasil*, pp. 88-91. Sobre Canto e Melo, ver HDBN, *Correio Mercantil*, 14 jan. 1865, n. 14, p. 2. O relato do padre Belchior consta em F. Assis Cintra, *D. Pedro I e o Grito da Independência*, em pp. 211-3.

117. Francisco Martins dos Santos, *História de Santos*, v. 1, p. 112.

118. Auguste de Saint-Hilaire, *Viagem à província de São Paulo*, p. 151; Nicolau Sevcenko et al, *São Paulo de Edmund Pink*, p. 82.

119. Francisco Martins dos Santos, op. cit., v. 1, pp. 285-9.

120. Roberto Pompeu de Toledo, *A capital da solidão*, p. 253-5. A estrada hoje está dentro do parque Caminhos do Mar, e segue um traçado próximo a chamada "Estrada Velha de Santos" (Rodovia Caminho do Mar, SP-148), cuja pavimentação foi concluída em 1925.

121. John Mawe, *Viagens ao interior do Brasil*, p. 61; Daniel Kidder, *Reminiscências de viagens e permanências no Brasil*, p. 173.

122. J. B. von Spix e C. F. von Martius, *Viagem pelo Brasil*, v. 1 p. 182.

123. Eduardo Canabrava Barreiros, *Itinerário da Independência*, p. 131-6.

124. Fams, Atas da Câmara de Santos, 1822 a 1831, atas dos dias 7 e 28 set. 1822.

125. John Armitage, *História do Brasil*, p. 143-4.

126. Otávio Tarquínio de Sousa, *José Bonifácio*, p. 86; Maria Graham, *Diário de uma viagem ao Brasil*, p. 340.

127. Annaes da Bibliotheca Nacional, *Cartas Andradinas*, p. 17.

128. Auguste de Saint-Hilaire, *Segunda viagem a província de São Paulo*, p. 190; C. Schlichthorst, *O Rio de Janeiro como é*, p. 251.

129. Maria Graham, op. cit., p. 79 e 340; Maria Graham, "Escorço biográfico de dom Pedro I, com uma notícia do Brasil e do Rio de Janeiro em seu tempo", em *Correspondência entre Maria Graham e a imperatriz dona Leopoldina*, p. 73.

130. Elisiane da Silva et al, *José Bonifácio*, "Ideias sobre a organização política do Brasil", pp. 123-31; "Lembranças e apontamentos do governo provisório", pp. 109-20. Embora "Lembranças e apontamentos" tenha sido assinado pelos deputados paulistas, a redação é de José Bonifácio e o documento foi inspirado em suas ideias.

131. Elisiane da Silva et al, op. cit., "Representação à Assembleia Geral Constituinte e Legislativa do Império do Brasil sobre a escravatura", pp. 163, 172 e 181. O texto é de 1823 e fazia parte do projeto constitucional que d. Pedro acabaria por derrubar.

132. Ministério das Relações Exteriores, *Arquivo Diplomático da Independência*, v. 4, pp. 285-9. Sobre o projeto de imigração de José Bonifácio e Schaeffer, ver Rodrigo Trespach, *1824* (2019).

Capítulo 7

133. Os relatos das quatro testemunhas oculares do dia 7 de setembro (Gama Lobo, cel. Marcondes, padre Belchior e Canto e Melo) constam em A. J. de M. Moraes, *História do Brasil-Reino e Brasil--Império*, p.381-3; e *A Independência e o Império do Brasil*, pp. 88-91; F. Assis Cintra, *D. Pedro I e o Grito da Independência*, em pp. 211-29. O relato original de Canto e Melo, está em HDBN, *Correio Mercantil*, 14 jan. 1865, n. 14, p. 2. Sobre o trajeto, ver Eduardo Barreiros, *Itinerário da Independência*, pp. 131-57. Sobre a chegada em São Paulo, ver AHMI, Maço 135 doc. 6612.

134. Embora estivesse presente no teatro, à noite, Vale não estava no Ipiranga, por isso esse detalhe do relato, publicado em 1854, não pode ser levado em conta. Outros relatos, publicados em jornais, davam conta de que d. Pedro montava um "ardoroso cavalo da raça mineira", informações que o próprio Gama Lobo rechaçou. Quanto às cores da mula descritas por Gama Lobo, cel. Marcondes e padre Belchior, embora existam muitas variações, "baia" indica um animal de pelagem amarelada, "gateada", de um amarelo mais escuro, e "zaino", pelos de um marrom escuro avermelhado. O quadro de Américo, *Independência ou Morte*, foi concluído em 1888.

135. O lugarejo de Meninos ou Os Meninos era conhecido desde o século XVIII e manteve este nome até 1947, quando recebeu a denominação atual. Fica distante cerca de dez quilômetros do Museu do Ipiranga.

136. Conforme a tradição, a casa pertencia ao alferes Joaquim Antônio Mariano. A informação não está no relato das quatro testemunhas oculares, mas consta na de Vale. Ver F. Assis Cintra, *D. Pedro I e o Grito da Independência*, p. 222.

137. Durante muito tempo a letra do hino foi atribuída a d. Pedro. Somente em 1833, já com o imperador longe do Brasil, é que o verdadeiro autor foi reconhecido. Ver Rodrigo Trespach, *Personagens da Independência*, pp. 151-2.

138. Auguste de Saint-Hilaire, *Viagem à província de São Paulo*, p. 144.

139. Canto e Melo, HDBN, *Correio Mercantil*, 14 jan. 1865, n. 14, p. 2, afirma que o hino foi cantado segundo a letra de Manoel da Cunha ("Ou ficar a pátria livre/ Ou morrer pelo Brasil"). Mas sabe-se hoje, com toda a certeza, que a letra foi escrita nove dias mais tarde por Evaristo da Veiga. Como o relato do alferes foi escrito mais de quatro décadas depois, é certo que Canto e Melo foi traído pela memória.

140. Sobre o erro na demarcação, ver Eduardo Barreiros, *Itinerário da Independência*, pp. 145-56; e Affonso de Freitas, *Tradições e reminiscências paulistanas*, p. 126.

141. HDBN, *O Espelho*, 17 set. 1822, n. 87, p. 1.

142. Vasconcelos de Drummond, *Anotações de Vasconcelos de Drummond à sua biografia*, p. 103.

143. John Luccock, *Notas sobre o Rio de Janeiro*, pp. 60-1; Theodor von Leithold e Ludwig von Rango, *O Rio de Janeiro visto por dois prussianos em 1819*, p. 14.

144. Imprensa Nacional, *Decretos, cartas e alvarás de 1822*, pp. 46-8.

145. Vasconcelos de Drummond, op. cit., p. 10.

146. O relato que segue foi extraído dos jornais *O Espelho* (n. 95 e 96), de 15 e 18 out. 1822, e *Gazeta do Rio* (n. 124 e 125), de 15 e 18 out. 1822.

147. O horário difere em dois jornais: dez horas para *O Espelho*, onze horas conforme o *Gazeta do Rio*. Dez horas é o horário informado na "Ata da aclamação", que consta em Imprensa Nacional, op. cit., p. 59.

148. Imprensa Nacional, op. cit., pp. 63-7.

149. Milton Luz, *A história dos símbolos nacionais*, p. 71.

Capítulo 8

150. O relato que segue foi extraído dos jornais *O Espelho* (n. 109 e 110), de

3 e 6 dez. 1822, e *Gazeta do Rio* (suplemento n. 145), de 3 dez. 1822; e do "Cerimonial da sagração e coroação do imperador Pedro I", que consta em Imprensa Nacional, *Decisões do governo em 1822*, pp. 98-106.

151. Imprensa Nacional, *Decretos, cartas e alvarás de 1822*, pp. 83-90.

152. Pedro Deiró, *Fragmentos de estudos da história da Assembleia Constituinte do Brasil*, pp. 11-2 e 64; Francisco Adolfo de Varnhagen, *História da Independência do Brasil*, p. 221; Helio Vianna, *História do Brasil*, v. 2, p. 76.

153. Annaes do Parlamento Brazileiro, *Assembléia Constituinte 1823*, v. 1, pp. 13-6.

154. O projeto consta em Assembleia Geral, *Diário da Assembléia Geral Constituinte e Legislativa do Império do Brasil 1823*, v. 2, pp. 689-700.

155. Annaes do Parlamento Brazileiro, op. cit., v. 6, p. 239; Assembleia Geral, op. cit., v. 3, p. 395.

156. Francisco Adolfo de Varnhagen, op. cit., p. 268.

157. D. Pedro emitiu dois decretos no dia 13 nov. 1823, ver em Imprensa Nacional, *Decretos, cartas e alvarás de 1823*, pp. 85-6. Sobre o manifesto de 16 nov. 1823, ver Senado Federal, *Falas do trono*, pp. 103-6.

158. Imprensa Nacional, *Constituição Política do Império do Brazil, 1824*, pp. 7-36.

159. AHMI, I-POB-1823-Bra.pj. Ver Otávio Tarquínio de Sousa, *A vida de d. Pedro I*, tomo 2, p. 533.

160. Decreto de 10 dez. 1822, em Imprensa Nacional, *Decretos, cartas e alvarás de 1822*, p. 96. Decreto de 5 set. 1825, em *Collecção das decisões do governo do Império do Brazil de 1825*, pp. 131-2. Sobre o relato, ver, por exemplo, C. Schlichthorst, *O Rio de Janeiro como é*, p. 212.

Livros para mudar o mundo. O seu mundo.

Para conhecer os nossos próximos lançamentos
e títulos disponíveis, acesse:

www.**citadel**.com.br

/citadeleditora

@citadeleditora

@citadeleditora

Citadel – Grupo Editorial

Para mais informações ou dúvidas sobre a obra,
entre em contato conosco por e-mail:

contato@**citadel**.com.br